donna hay

LES CAHIERS GOURMANDS

fruits

remerciements

Je voudrais adresser mes remerciements à tant de personnes qui m'ont aidée dans la réalisation de ce livre : Vanessa Pitsikas, pour sa conception avisée, son attitude posée et son talent qui n'attend résolument pas le nombre des années ; les rédacteurs gastronomiques Justine Poole, Steve Pearce et Jane Collings ainsi que tous les membres de leur équipe de testeurs de recettes qui n'ont pas manqué de s'exclamer devant chaque plat ; la réviseuse Kirsty McKenzie pour avoir toujours su poser les bonnes questions ; le surprenant Con Poulos, le talentueux Chris Court et tous les autres photographes dont les clichés illuminent chaque page ; et, naturellement, toute l'équipe du *donnay hay magazine*, composée uniquement de personnes exceptionnelles : votre engagement, votre créativité et votre professionnalisme font de donna hay une marque d'envergure réellement internationale. Je remercie également chaleureusement Phil Barker et Peter Byrne du *News Magazines*, ainsi que l'équipe de HarperCollins. Un grand merci également à tous mes amis, vieux amis et nouveaux amis, ainsi qu'à ma chère famille. Sans oublier les hommes de ma vie : mes merveilleux fils Angus et Tom qui font chavirer mon cœur, ainsi que mon compagnon Bill.

Publié pour la première fois en Austra lie et en Nouvelle-Zélande en 2007 par Fourth Estate, groupe de HarperCollins *Publishers* sous le titre *Fruit.*
© Donna Hay 2007
Crédits photos : © Con Poulos première et quatrième de couverture, pages 1, 4, 7, 9, 10, 11, 12, 13, 14, 15, 16, 17, 19, 20, 23, 25, 27, 29, 31 (à droite), 33, 34, 35 (à droite), 37, 38, 39, 41, 44 (à gauche), 45, 47, 51, 52, 55, 56, 57, 59, 61, 62, 63, 67, 70, 71 (à droite), 73, 74, 75, 77, 79 (à gauche), 80, 83, 85, 86, 87, 96 ;
© Chris Court pages 24 (à droite), 35 (à gauche), 49, 53 (à droite), 71 (à gauche), 81, 87 ;
© Lisa Cohen pages 44 (à droite), 53 (à gauche), 79 (à droite) ;
© Ben Dearnley page 24 (à gauche) ;
© Luke Burgess page 21 ;
© Brett Stevens pages 31 (à gauche), 65.

© Marabout / Hachette Livre pour la traduction et l'adaptation française.
Traduit de l'anglais par Babelscope.

Pour l'éditeur, le principe est d'utiliser des papiers composés de fibres naturelles, renouvelables, recyclables et fabriquées à partir de bois issus de forêts qui adoptent un système d'aménagement durable. En outre, l'éditeur attend de ses fournisseurs de papier qu'ils s'inscrivent dans une démarche de certification environnementale reconnue.

Édition 01
Codif. : 40 4617 3
ISBN : 978-2-501-05781-3
Dépôt légal : mai 2008
Imprimé en Chine par Midas Printing

donna hay

LES CAHIERS GOURMANDS

fruits

MARABOUT

sommaire

introduction   6

basiques   8

petits déjeuners + confitures   18

desserts   32

tartes + tourtes   50

gâteaux + desserts au four   68

glossaire   88

index   92

introduction

Lorsque j'étais enfant, j'attendais la première mangue de la saison avec une impatience habituellement réservée à l'arrivée de Noël ou aux anniversaires. Ce que je ne parvenais pas à formuler alors, et dont je saisis toute la signification à présent, c'est que les meilleures choses dans la vie sont celles que l'on a attendues. Il en va de même pour les fruits. Attendre la pleine saison et sélectionner des produits récemment récoltés est la garantie d'une belle récompense gustative : des fruits gorgés de jus, au goût et à la texture généreux. Nous avons passé en revue nos recettes préférées afin de rassembler cette délicieuse collection de friandises fruitées, simples à préparer. Régalez votre famille et vos amis en croquant à belles dents les fruits de la vie.

Donna

basiques

Avec ses couleurs vives, son parfum suave et sa saveur
délicieuse, il en faut peu pour faire du fruit la star
de n'importe quelle recette. Les pages qui suivent vous
feront faire connaissance avec les fruits le plus souvent
mis à l'honneur dans les recettes de ce livre. C'est une mine
d'informations sur la façon de choisir et de conserver les
fruits. Vous y trouverez également des conseils simples mais
efficaces pour apporter à vos recettes une touche finale.

tout sur les fruits

Dans l'idéal, tous les fruits devraient mûrir sur l'arbre et arriver directement depuis le verger dans notre assiette. Dans la réalité, nous ne pouvons qu'essayer de choisir chaque fruit au meilleur moment et de les conserver dans des conditions optimales.

pêches

C'est à la fin du printemps et au début de l'été que les pêches sont les plus juteuses. Il existe des pêches pavie blanches et jaunes à noyau adhérent, ainsi que des pêches à noyau libre, dont la chair peut facilement être détachée du noyau. Choisissez des fruits fermes et dépourvus de taches, dont la chair est souple lorsqu'on la presse doucement. Les pêches s'abîment vite ; mangez-les le plus rapidement possible.

nectarines

Il s'agit d'une variété de pêches dépourvues de peau duveteuse, au noyau libre ou adhérent. La couleur de la chair peut aller du blanc et du jaune à un orange presque rouge. Choisissez des fruits charnus et colorés, à la peau bien lisse et brillante ne portant pas de trace verte. Le parfum est l'un des meilleurs signes d'une maturation idéale. Conservez les nectarines en une seule couche à température ambiante pour qu'elles mûrissent, puis gardez-les 2 jours au maximum au réfrigérateur.

abricots et prunes

Avec leur peau duveteuse se déclinant du jaune à l'orange foncé, les abricots sont l'un des nombreux cadeaux de l'été. Choisissez des fruits à la couleur homogène et conservez-les à température ambiante. La saison des prunes bat son plein entre l'été et la fin de l'automne. Leur peau varie du violet au rouge et leur chair du vert ou jaune à l'orange profond. La prune d'Ente est séchée pour faire des pruneaux. La prune du Japon à chair rouge est consommée cuite ou fraîche.

fruits rouges

On trouve d'excellentes fraises tout au long de l'année, mais leur pleine saison a lieu durant les mois du printemps. Choisissez des fruits à la queue intacte, à la couleur rouge homogène et à l'aspect bien brillant. Les framboises doivent être charnues et de couleur rouge sombre. Tous les fruits rouges se perdent rapidement. Conservez-les au réfrigérateur, disposés sur une assiette garnie de papier absorbant, en une seule couche, et recouverte de film alimentaire.

mûres et myrtilles

Les mûres se trouvent dès la fin du printemps et jusqu'au début de l'automne. Pour faire de la confiture, ne les choisissez pas trop mûres afin que leur taux de pectine, un agent de gélification, soit plus élevé. Conservez-les au réfrigérateur, sur une assiette garnie de papier absorbant et recouverte de film alimentaire. Les myrtilles ont une chair vert pâle et une peau violette, charnue et cireuse. Leur pleine saison est en été, mais on les trouve également au printemps et en automne.

cerises

Leur couleur varie du jaune tirant sur le rose au rouge vif ou au noir violine profond, et c'est l'un des plaisirs de l'été : choisissez des cerises charnues à la peau brillante, et de préférence avec leur queue intacte (elles se conserveront bien mieux). Bien qu'il soit préférable de les consommer le plus rapidement possible, elles se conservent au réfrigérateur pendant quelques jours. Les cerises s'oxydent rapidement une fois coupées ou dénoyautées ; pour retarder ce processus, trempez les fruits dans du jus de citron.

pommes

Les pommes vertes, appréciées pour leur acidité et leur croquant, conservent leur texture et leur saveur à la cuisson.
Les variétés rouges plus sucrées, parfois préférées comme variétés à croquer, se prêtent également bien à la cuisson.
La saison des pommes débute en automne et dure tout l'hiver. Choisissez des fruits à la peau brillante et dépourvue de taches.
Les pommes perdent plus rapidement leur fermeté à température ambiante que lorsqu'elles sont réfrigérées.

poires

La saison des poires s'étend entre l'automne et le printemps. Les poires continuent à mûrir de l'intérieur après la cueillette ; choisissez donc des fruits charnus et fermes dépourvus de taches, et conservez-les à température ambiante. Les poires mûres se conservent plusieurs jours au réfrigérateur. La couleur de la peau varie du vert-jaune au brun. Pour la cuisson, choisissez des poires à peine mûres : des fruits trop mûrs peuvent se réduire en purée.

bananes

La banane est un aliment de base dans la région du Pacifique Sud. Entre vert foncé et noire, la banane plantain est un élément essentiel de la cuisine antillaise et sud-américaine. Bien qu'on en trouve toute l'année, la saison des bananes est à son apogée en automne. Si les extrémités sont vertes, cela signifie que le fruit n'est pas complètement mûr. En revanche, lorsqu'il présente quelques taches brunes, la maturité est totale. Conservez à température ambiante pour le faire mûrir.

oranges

Appréciées pour leur teneur élevée en vitamine C, les oranges sont en vente toute l'année, certaines variétés fructifiant en été, et d'autres en hiver. Les oranges sanguines sont une variété méditerranéenne produisant à l'automne des fruits au jus couleur rubis, moins acide que les oranges ordinaires. Les agrumes peuvent se conserver plusieurs semaines à température ambiante, et plus longtemps encore dans le bac à légumes du réfrigérateur.

citrons et citrons verts

Les citrons sont connus pour leur saveur et leur jus acides. Tandis que le citron vert mexicain, petit, rond et foncé est considéré comme le seul « véritable » citron vert, le citron vert-jaune de Tahiti est très apprécié pour son absence de pépins et ses fruits très juteux. Comme la plupart des agrumes, la saison des citrons et citrons verts bat son plein entre l'hiver et le printemps, mais on en trouve toute l'année. Le jus des citrons et citrons verts contient le goût acide, mais c'est l'huile de l'écorce qui porte le parfum.

coings

À la cuisson, ce fruit à la chair dure, amère et blanche devient tendre, parfumé et prend une teinte rosée. Si vous cuisez les coings en entier, assurez-vous de retirer la couche grise veloutée qui pousse sur la peau. Lorsque vous pochez les fruits, il est essentiel de les maintenir immergés dans le liquide, pour éviter qu'ils s'oxydent et brunissent. Le plus simple est de couvrir la surface du liquide, avec un papier sulfurisé pour empêcher le fruit de flotter.

melons et pastèques

Les melons et les pastèques appartiennent à la même famille que les courges et les citrouilles. Choisissez des fruits dont l'extrémité est légèrement souple, et qui dégage un parfum sucré au niveau de la tige. Les melons ne mûrissant plus une fois cueillis, choisissez des fruits ayant une belle couleur et une peau intacte. Conservez-les à température ambiante ; une fois coupés, couvrez-les d'un film alimentaire et placez-les au réfrigérateur. À consommer dans les jours qui suivent.

litchis, ramboutans et caramboles

Le litchi à peau rouge et rugueuse présente une chair sucrée d'un blanc nacré autour d'un noyau marron allongé. Son cousin, le ramboutan, doit son nom au mot indonésien *rambut*, qui signifie « cheveux ». Ces deux fruits sont riches en vitamine C. Choisissez-les fermes au toucher et conservez-les au réfrigérateur. La carambole est également un produit d'importation. La pleine saison a lieu en hiver, lorsque les fruits sont le plus acides et parfumés.

ananas, mangues et papayes

Les mangues mûres sont souples au toucher et très parfumées. Les variétés les plus recherchées ont une chair orange vif dépourvue de filaments fibreux. L'ananas est lui aussi originaire des tropiques, mais on le trouve toute l'année. Une courte couronne de feuilles pointues indique un fruit juteux et sucré. La papaye, de couleur rouge, est disponible en automne et en hiver. Le fruit vert est amer ; choisissez-les souples sous le doigt.

fruits de la passion et kiwis

On trouve les fruits de la passion toute l'année, mais ils sont meilleurs en hiver. Chez les variétés à peau fine, des rides peuvent être un indicateur de maturité. Conservez-les dans un endroit frais et sec jusqu'à une semaine, ou au réfrigérateur si vous voulez les garder plus longtemps. Le kiwi, ou groseille de Chine, est un fruit d'hiver. Il mûrit à température ambiante puis se conserve quelques jours dans le bac à légumes du réfrigérateur.

figues

La saison des figues dure tout l'été jusqu'à l'automne. La couleur de la peau varie du vert au violet tirant sur le noir, et celle de la chair, du blanc au marron rosé. Une légère pression est le meilleur moyen de tester sa maturité. La figue doit être légèrement souple mais ne doit comporter aucune trace de tallage, ni aucune zone molle. Les figues mûrissent vite : consommez-les rapidement après achat. Retirez la tige et épluchez le fruit si sa peau est épaisse. Conservez-les à température ambiante.

rhubarbe

La couleur des tiges de rhubarbe peut prendre toutes les teintes, du rouge au vert. La pleine saison de la rhubarbe s'étend du printemps à l'été. Les variétés aux feuilles longues d'un beau vert, et aux tiges rouge sombre sont souvent les plus parfumées. Choisissez des tiges plates et craquantes, de taille moyenne. Enveloppez étroitement les tiges non lavées dans du film alimentaire et conservez-les au réfrigérateur.

quelques techniques

zester et râper

L'écorce râpée des agrumes et leur zeste contiennent des huiles très parfumées. Lorsqu'une recette prévoit l'utilisation de l'une ou de l'autre, assurez-vous de travailler en douceur la surface du fruit uniquement pour éviter d'emporter la pellicule blanche et amère qui se trouve en-dessous. Le zeste est retiré à l'aide d'un zesteur qui forme de longues et fines lamelles, tandis que la peau peut être râpée avec un outil rugueux ou muni de très fines dents.

écorces confites

Faites chauffer 660 g de sucre et 500 ml d'eau à feu doux dans une casserole en remuant jusqu'à ce que le sucre ait fondu. Ajoutez la peau de 3 oranges et de 3 citrons (ôtez bien la pellicule blanche), puis laissez bouillir 25 minutes. Essuyez de temps en temps les bords de la casserole à l'aide d'un pinceau à pâtisserie trempé dans l'eau. Retirez du feu et laissez les écorces refroidir dans le sirop. Vous pouvez aussi pocher les rondelles de citron.

oxydation

L'oxydation se produit lorsqu'un fruit, tel qu'une pomme ou un coing, est coupé en tranches et exposé à l'air, ce qui entraîne un brunissement très rapide de la chair blanche. Afin d'éviter ce phénomène, placez les tranches dans un bol d'eau légèrement acidulée, et ne les retirez qu'au moment de servir. Une bonne dose de jus de citron ou un comprimé de vitamine C écrasé apporteront à l'eau la quantité d'acide nécessaire.

éplucher des fruits à noyau

Une fois la peau retirée, la surface de la pêche est lisse et brillante et sa texture délicieusement satinée. Pour cela, mettez les pêches dans une grande casserole d'eau frémissante pendant 1 minute. Retirez-les à l'aide d'une écumoire et placez-les dans un bol d'eau glacée pendant 5 minutes, jusqu'à ce que des rides commencent à se former sur la peau. Retirez la peau doucement avec les doigts. Arrosez les pêches de jus de citron pour les empêcher de noircir.

petits déjeuners + confitures

Réveillez-vous en beauté avec de belles baies bien juteuses, des melons à vous mettre l'eau à la bouche et de succulents fruits à noyau. Vous pouvez faire du plus important repas de la journée un moment de saveurs intenses, en toute simplicité. Et pour prolonger le plaisir du fruit en toute saison, préparez des confitures pour régaler vos amis et votre famille pendant des mois.

salade de fruits citronnelle yaourt pistaches

petit déjeuner aux baies mélangées

beignets de bananes au sirop d'érable

salade de fruits citronnelle yaourt pistaches

2 tiges de citronnelle coupées en quatre
110 g de sucre en poudre
250 ml d'eau
1 mangue coupée en tranches
½ melon cantaloup coupé en tranches
½ melon miel coupé en tranches
1 poire nashi coupée en tranches
40 g de pistaches crues hachées
yaourt brassé nature épais pour servir

Mettez la citronnelle, le sucre et l'eau dans une petite casserole à feu vif. Portez à ébullition et laissez bouillir 5 minutes, ou jusqu'à ce que le mélange ait un peu épaissi. Retirez du feu et laissez le sirop refroidir. Recouvrez les fruits avec le sirop et les pistaches. Servez accompagné de yaourt. Pour 4 personnes.

petit déjeuner aux baies mélangées

250 g de framboises surgelées+
250 g de fraises coupées en deux
1 pomme verte épépinée et coupée en tranches
110 g de sucre en poudre
250 g de yaourt nature
250 g de muesli grillé

Placez les framboises, les fraises, la pomme et le sucre à feu vif dans une poêle antiadhésive de taille moyenne. Faites cuire 10 minutes, ou jusqu'à ce que les morceaux de pomme soient tendres, en remuant constamment. Laissez refroidir complètement. Pour servir, répartissez le mélange dans 4 verres et recouvrez de yaourt et de muesli grillé. Pour 4 personnes.
+ Il n'est pas nécessaire de décongeler les framboises avant de les faire cuire.
+ Variez les plaisirs en remplaçant le yaourt nature par un yaourt à la vanille ou aux fruits rouges, et en utilisant des tranches de pêches et de nectarines épluchées au lieu des framboises et des fraises.

beignets de bananes au sirop d'érable

300 g de farine ordinaire
3 c. à c. de levure chimique
125 g de cassonade
250 ml de babeurre
2 œufs
4 bananes mûres écrasées
20 g de beurre
2 bananes coupées dans le sens de la longueur, pour servir
copeaux de noix de coco grillés pour servir
125 ml de sirop d'érable

Versez la farine, la levure, le sucre, le babeurre, les œufs et les bananes dans un grand saladier et mélangez bien. Faites chauffer à feu moyen une poêle antiadhésive. Ajoutez le beurre et versez 80 ml de la préparation dans la poêle ; faites cuire jusqu'à ce que des bulles apparaissent à la surface. Retournez les beignets et laissez cuire 1 minute. Servez les beignets disposés en plusieurs couches avec la banane et recouverts de noix de coco et de sirop d'érable. Pour 4 personnes.

pancakes aux myrtilles et à la banane

300 g de farine ordinaire tamisée
3 c. à c. de levure chimique tamisée
110 g de sucre en poudre
1 œuf
310 ml de lait
185 ml de babeurre
75 g de beurre fondu
myrtilles et bananes en tranches pour servir
sirop d'érable pour servir

Placez la farine, la levure et le sucre dans un saladier. Fouettez l'œuf, le lait, le babeurre et le beurre dans un autre saladier. Incorporez la préparation lactée au mélange de farine et fouettez. Faites chauffer à feu moyen une poêle antiadhésive beurrée. Versez 80 ml de préparation dans la poêle et faites cuire les pancakes, un par un. Retournez les pancakes et laissez cuire 1 minute. Servez en pile avec les myrtilles, les bananes et le sirop d'érable. Pour 15 pancakes.

pancakes aux myrtilles et à la banane

pain grillé à la nectarine

granola à la nectarine

muffins spécial petit déjeuner

pain grillé à la nectarine

2 œufs
55 g de sucre en poudre
165 ml de lait écrémé
80 g de ricotta allégée
1 c. à s. d'extrait de vanille
8 tranches de pain
4 nectarines dénoyautées et coupées en tranches
sirop d'érable, pour servir

Fouettez les œufs, le sucre et le lait dans un saladier de taille moyenne. Versez la ricotta, le mélange précédent et la vanille dans un bol et mélangez. Répartissez le mélange à la ricotta sur quatre tranches de pain. Recouvrez des tranches de nectarine et du pain restant. Plongez les sandwichs dans le mélange à l'œuf et passez-les 4 à 5 minutes sur chaque face à la poêle. Coupez en triangles et servez accompagné du sirop d'érable. Pour 4 personnes.

granola à la nectarine

300 g de flocons d'avoine
50 g de graines de potiron
50 g de graines de tournesol
40 g d'amandes hachées
2 c. à c. de cannelle en poudre
125 ml de miel
90 ml d'huile de colza
2 nectarines dénoyautées, coupées en tranches
500 g de yaourt à la vanille

Préchauffez le four à 180 °C. Mettez les flocons d'avoine, les graines de potiron et de tournesol, les amandes et la cannelle dans un grand saladier et mélangez bien. Versez le miel et l'huile dans une petite casserole, sur feu doux, et faites chauffer 2 minutes. Versez le mélange au miel sur les ingrédients secs et mélangez. Répartissez le granola ainsi obtenu sur deux plaques de cuisson recouverte de papier sulfurisé et étalez-le de façon homogène. Faites cuire 20 à 25 minutes en remuant de temps en temps. Laissez refroidir, puis répartissez le granola grillé dans des verres pour servir. Alternez le granola avec des couches de nectarines et de yaourt. Pour 4 personnes.

muffins spécial petit déjeuner

185 ml d'huile végétale
330 g de sucre en poudre
125 ml de lait
3 œufs
450 g de farine ordinaire tamisée
2 c. à c. de levure chimique
50 g de flocons d'avoine
½ c. à s. de cannelle
1 pomme râpée
2 bananes écrasées
250 g de framboises écrasées
1 c. à s. de sucre roux

Préchauffez le four à 180 °C. Versez l'huile, le sucre, le lait et les œufs dans un saladier de taille moyenne et fouettez. Mettez la farine, la levure, les trois quarts des flocons d'avoine et la cannelle dans un grand saladier et mélangez bien. Ajoutez les fruits au mélange de farine et amalgamez le tout. Versez-y le mélange au lait et remuez jusqu'à ce que la pâte soit homogène. Répartissez le mélange dans des moules à muffins de 250 ml, légèrement beurrés. Saupoudrez les muffins avec les flocons d'avoine restants et le sucre roux. Enfournez pour 25 minutes. Vérifiez la cuisson des muffins avec la pointe d'un couteau : la lame doit ressortir sèche. Pour 12 muffins.

muesli bircher

150 g de flocons d'avoine
250 ml de jus de pomme tiède
2 pommes vertes râpées
250 g de yaourt brassé nature épais
70 g d'amandes hachées
miel, pour servir

Mettez les flocons d'avoine et le jus de pomme dans un grand saladier, couvrez avec du film alimentaire, et laissez reposer 30 minutes jusqu'à ce que les flocons soient gonflés. Incorporez les pommes râpées. Pour servir, répartissez le yaourt dans 4 tasses, puis recouvrez du mélange aux flocons d'avoine, des amandes et du miel. Pour 4 personnes.

muesli bircher

marmelade d'oranges sanguines

1 kg d'oranges sanguines lavées
10 pépins de citron+
495 g de sucre
60 ml de jus de citron

À l'aide d'un zesteur, prélevez le zeste des oranges en fines lamelles
et réservez. Pressez les oranges (vous devriez obtenir 500 ml
de jus environ). Enveloppez les pépins de citron dans un petit bout
de mousseline et attachez-le pour fermer. Placez le zeste et le jus
d'orange dans une grande poêle profonde ou une bassine à confiture
avec le sucre et le jus de citron. Faites chauffer la poêle à feu moyen-
doux en remuant jusqu'à ce que le sucre soit dissous. Ajoutez
le sachet en mousseline contenant les pépins et laissez mijoter
30 à 35 minutes. Brossez de temps en temps les bords de la poêle
à l'aide d'un pinceau à pâtisserie trempé dans l'eau. Pendant que
la confiture mijote, écumez la surface à l'aide d'une grande cuillère
en métal. Placez une soucoupe au congélateur pour qu'elle refroidisse.
Pour savoir si la confiture est cuite, versez 1 cuillerée de confiture
sur la soucoupe froide et passez votre doigt dedans. Si la trace reste,
la confiture est prête. Sinon, continuez à cuire et renouvelez le test
à 5 minutes d'intervalle. Retirez les pépins de citron puis versez
la confiture dans des bocaux chauds et stérilisés (voir glossaire),
puis fermez. Pour 4 bocaux environ. Cette marmelade se conserve
au réfrigérateur jusqu'à 6 mois.
+ Les pépins de citron sont un élément essentiel de cette recette,
car ils contiennent de la pectine, un agent de gélification qui aide
la confiture à prendre.

confiture de fraises

1,5 kg de fraises
1 kg de sucre
185 ml de jus de citron vert

Lavez soigneusement les fraises. Équeutez-les et coupez-les en deux.
Placez les fraises, le sucre et le jus de citron vert dans une bassine
à confiture ou une grande poêle profonde. Portez à ébullition à feu
moyen en remuant jusqu'à ce que le sucre soit dissous. Laissez mijoter
en remuant de temps en temps pendant 25 à 30 minutes, ou jusqu'à
ce que le mélange ait épaissi. Pendant que la confiture cuit, écumez
la surface à l'aide d'une grande cuillère en métal. Placez une soucoupe
au congélateur pour qu'elle refroidisse. Pour savoir si la confiture est
cuite, versez 1 cuillerée de confiture sur la soucoupe froide. Passez
votre doigt dans la confiture. Si la trace reste, la confiture est prête.
Sinon, continuez à cuire et renouvelez le test à 5 minutes d'intervalle.
Versez délicatement la confiture chaude dans des bocaux chauds
et stérilisés (voir glossaire). Pour 6 bocaux environ. Cette confiture
se conserve au réfrigérateur jusqu'à 6 mois.

marmelade d'oranges sanguines

confiture de fraises

confiture de rhubarbe à la vanille

250 g de rhubarbe, parée et coupée en morceaux
220 g de sucre
1 gousse de vanille fendue et ses grains que vous aurez raclés
(ou 1 c. à c. de pâte de vanille)
2 c. à s. d'eau

Placez la rhubarbe, le sucre, la gousse de vanille avec les grains
et l'eau dans une casserole à feu doux et remuez jusqu'à ce que
le sucre soit dissous. Montez à feu moyen et laissez mijoter 8 à
10 minutes, ou jusqu'à ce que le mélange ait épaissi. Retirez la gousse
de vanille. Versez la confiture dans un bocal de verre chaud et stérilisé
(voir glossaire), puis fermez. Pour 1 bocal environ. Cette confiture se
conserve au réfrigérateur jusqu'à 2 semaines.

confiture pêche passion

1,4 kg de pêches jaunes
125 g de fruits de la passion
1 kg de sucre
185 ml de jus de citron vert

Lavez soigneusement les pêches. Dénoyautez-les et coupez-les
en rondelles. Placez les pêches, les fruits de la passion, le sucre et
le jus de citron vert dans une bassine à confiture ou une grande poêle
profonde. Portez à ébullition à feu moyen en remuant jusqu'à ce que
le sucre soit dissous. Laissez mijoter en remuant de temps en temps
pendant 25 à 30 minutes ou jusqu'à ce que le mélange ait épaissi.
Pendant que la confiture cuit, écumez la surface à l'aide d'une grande
cuillère en métal. Placez une soucoupe au congélateur pour qu'elle
refroidisse. Pour savoir si la confiture est cuite, versez 1 cuillerée
de confiture sur la soucoupe froide. Passez votre doigt dans la
confiture. Si la trace reste, la confiture est prête. Sinon, continuez à
cuire et renouvelez le test à 5 minutes d'intervalle. Versez délicatement
la confiture chaude dans des bocaux chauds et stérilisés (voir glossaire).
Pour 8 bocaux environ. Cette confiture se conserve au réfrigérateur
jusqu'à 6 mois.

confiture de rhubarbe à la vanille

confiture pêche passion

desserts

Si vous ne savez pas quoi servir pour le dessert, rien de tel qu'une recette à base de fruits parfaitement mûrs. Faites les choses simplement, laissez les fruits s'exprimer par eux-mêmes et donnez à ces recettes leurs délicieux parfums et tout leur arôme. Voici quelques desserts traditionnels revisités, ainsi que des recettes contemporaines. Attention en servant, vos convives risquent de se jeter sur le plat !

fruits d'été pochés

soufflé au citron

trifle aux fruits d'été

fruits d'été pochés

500 ml d'eau

220 g de sucre en poudre

1 gousse de vanille fendue et ses grains que vous aurez raclés

4 pêches pelées (voir page 17)

4 nectarines pelées (voir page 17)

4 abricots pelés (voir page 17)

310 g de framboises

310 g de myrtilles

sirop

Dans une casserole, faites chauffer l'eau, le sucre et la gousse de vanille, à feu moyen, et remuez jusqu'à dissolution du sucre. Laissez frémir jusqu'à ce que le liquide ait réduit de moitié. Nappez les fruits pelés de sirop chaud et laissez refroidir. Mélangez-les ensuite aux framboises et aux myrtilles, puis servez. Retirez la gousse de vanille et nappez les fruits de sirop. Pour 4 personnes.

soufflé au citron

150 g de sucre en poudre

2 c. à s. d'eau

2 c. à c. de Maïzena

100 ml de jus de citron

5 blancs d'œufs

1 ½ c. à s. de sucre en poudre supplémentaire

50 g de beurre fondu

sucre en poudre supplémentaire pour saupoudrer

Préchauffez le four à 180 °C. Faites dissoudre le sucre dans l'eau dans une petite casserole sur feu doux. Mélangez la Maïzena et le jus de citron dans un petit saladier jusqu'à obtention d'un mélange homogène, puis ajoutez le sirop. Augmentez le feu et portez à ébullition en remuant jusqu'à ce que le mélange ait un peu épaissi. Retirez du feu et laissez refroidir légèrement. Dans un saladier, montez les blancs d'œufs en neige au batteur électrique. Ajoutez petit à petit le sucre supplémentaire et battez en neige ferme. Incorporez le sirop au citron. Beurrez 4 ramequins à bords droits d'une contenance de 310 ml chacun, et saupoudrez-les de sucre. Remplissez aux trois quarts les plats avec la préparation, et enfournez 12 minutes. Pour 4 personnes.

trifle aux fruits d'été

250 ml de vin cuit

75 g de sucre en poudre

1 pêche dénoyautée et coupée en fins quartiers

1 nectarine, prune ou abricot, dénoyautée, en fins quartiers

1 génoise carrée de 20 cm (recette page 89)

crème à la framboise

250 ml de crème liquide

150 g de framboises+

1 c. à s. de sucre glace tamisé

Faites dissoudre le vin et le sucre dans une casserole, à feu doux. Augmentez le feu et laissez frémir le mélange 5 minutes. Laissez refroidir. Mettez les fruits dans un saladier et versez-y juste assez de sirop pour les napper. Coupez le gâteau en tranches épaisses et dressez-en la moitié sur des assiettes. Arrosez les tranches avec la moitié du sirop.

Fouettez la crème liquide dans un saladier réfrigéré. Écrasez les framboises à la fourchette et incorporez-les à la crème avec le sucre glace. Posez la moitié de la crème à la framboise sur les morceaux de gâteau et garnissez-la avec la moitié des fruits. Renouvelez l'opération, en superposant la seconde moitié de gâteau, de sirop, de crème à la framboise et de fruits. Pour 4 personnes.

+ Si vous utilisez des framboises surgelées, il n'est pas nécessaire de les décongeler avant l'utilisation.

fruits rouges et figues au sirop de vanille

250 ml d'eau

110 g de sucre

1 gousse de vanille fendue et ses graines que vous aurez raclées

120 g de framboises

150 g de myrtilles

250 g de fraises

4 figues fraîches coupées en deux

Faites chauffer l'eau, le sucre et la gousse de vanille avec ses graines, à feu doux. Remuez jusqu'à dissolution du sucre. Augmentez la température et laissez frémir 5 minutes. Laissez refroidir, puis nappez les fruits rouges et les figues de sirop. Servez avec de la crème fraîche épaisse ou de la glace. Pour 4 personnes.

fruits rouges et figues au sirop de vanille

sorbet aux fruits

galettes aux fruits

panna cotta vanillée à la pêche

sorbet aux fruits

165 g de sucre en poudre

250 ml d'eau

purée de framboises passée au chinois, préparée avec environ 700 g
de fruits frais ou surgelés

60 ml de jus de citron vert

Mettez le sucre et l'eau dans une casserole sur feu doux et remuez
sans laisser bouillir jusqu'à ce que le sucre soit dissous. Montez le feu
et portez à ébullition 1 minute. Laissez refroidir. Mélangez la purée
de framboises, le jus de citron vert et le sirop, versez le tout dans
une sorbetière et suivez les instructions du fabricant pour glacer.
Pour 4 à 6 personnes.

+ Pour faire un sorbet à la mangue, remplacez la purée de framboises
filtrée par 4 mangues épluchées, dénoyautées et réduites en purée
(environ 1 kg de mangues coupées) et comptez 125 ml de jus
de citron vert.

galettes aux fruits

375 g de pâte feuilletée du commerce

fruits mûrs de saison tranchés très finement

sucre en poudre pour saupoudrer

Préchauffez le four à 200 °C. Étalez la pâte sur un plan de travail
légèrement fariné jusqu'à atteindre 3 mm d'épaisseur. Coupez-la en
8 rectangles et placez ces derniers sur une plaque de cuisson recouverte
de papier sulfurisé. Recouvrez de tranches de fruits. Saupoudrez de
sucre et enfournez 20 minutes ou jusqu'à ce que les galettes soient
dorées. Pour 8 galettes.

+ Servez vos galettes aux fruits au petit déjeuner ou pour un brunch.
Ou bien accompagnez-les de crème épaisse ou de crème glacée pour
le dessert.

panna cotta vanillée à la pêche

375 ml d'eau

110 g de sucre

3 pêches coupées en deux et dénoyautées

1 c. à s. de gélatine en poudre

1 panna cotta (voir recette page 90)

Faites dissoudre le sucre dans l'eau, à feu moyen, en remuant. Laissez-y
frémir les pêches 3 à 5 minutes. Retirez-les de la casserole (réservez
le sirop) et pelez-les. Mettez 125 ml de sirop dans un saladier
et saupoudrez-le de gélatine. Laissez gonfler 5 minutes, versez dans
la casserole, remuez et faites frémir 2 minutes jusqu'à dissolution
de la gélatine. Posez les oreillons de pêche dans un moule à cake
de 26 x 8 x 7,5 cm beurré, la partie coupée tournée vers le haut,
puis versez le liquide dans le moule. Placez au réfrigérateur pendant
2 heures. Étalez la préparation pour la panna cotta dessus puis
réfrigérez 6 heures. Plongez le moule dans un plat rempli d'eau chaude,
puis retournez-le sur une assiette. Pour 6 personnes.

semifreddo à la framboise

3 œufs

2 jaunes d'œufs

½ c. à s. d'extrait de vanille

225 g de sucre en poudre

500 g de framboises surgelées

435 ml de crème légère

Mettez les œufs, les jaunes d'œufs, la vanille et le sucre dans un
récipient résistant à la chaleur. Placez ce récipient au-dessus d'une
casserole d'eau frémissante et battez le mélange au fouet 4 à 5 minutes.
Retirez du feu et battez jusqu'à refroidissement. Écrasez les framboises
et incorporez-les au mélange aux œufs. Réservez. Battez la crème dans
le bol d'un mixer électrique. Incorporez délicatement le mélange aux
œufs dans la crème et remuez. Enveloppez des verres d'une contenance
de 250 ml dans du papier sulfurisé (le papier doit dépasser d'au moins
1 cm du bord du verre). Fixez-le avec du ruban adhésif. Répartissez
la préparation dans les verres et faites prendre au congélateur
4 à 6 heures. Retirez le papier avant de servir. Pour 6 personnes.

semifreddo à la framboise

crème glacée à la fraise

1 kg de fraises, réduites en purée et filtrées (750 ml)
110 g de sucre en poudre
250 ml de lait
500 ml de crème liquide
6 jaunes d'œufs
150 g de sucre en poudre supplémentaire

Mélangez la purée de fraises et le sucre dans une petite casserole sur feu doux jusqu'à ce que le sucre soit dissous. Augmentez le feu et portez à ébullition en remuant de temps en temps pendant 10 à 12 minutes, ou jusqu'à ce que le mélange ait réduit d'un peu plus d'un tiers. Retirez du feu et laissez refroidir. Faites chauffer le lait et la crème dans une casserole à feu moyen, sans faire bouillir. Une fois chaud, retirez le mélange du feu. Placez les jaunes d'œufs et le sucre supplémentaire dans un saladier, et fouettez jusqu'à ce que le mélange épaississe et blanchisse. Versez lentement le mélange de crème et de lait sur les œufs en fouettant sans arrêt. Transvasez de nouveau le mélange dans la casserole et remuez sur feu doux pendant 4 minutes, ou jusqu'il épaississe légèrement et nappe le dos d'une cuillère. Laissez refroidir. Versez la crème refroidie dans une sorbetière et suivez les instructions du fabricant jusqu'à ce que la glace soit juste ferme. Ajoutez la purée de fraises et turbinez 1 à 2 minutes jusqu'à ce que le mélange soit homogène. Vous pouvez aussi vous reporter au glossaire pour voir la méthode au batteur électrique.
Pour 1,4 litre de glace.

pavlova

4 blancs d'œufs
220 g de sucre semoule
3 c. à c. de Maïzena
1 c. à c. de vinaigre blanc
fruits frais et crème fouettée, pour servir

Préchauffez le four à 150 °C. Dans un saladier, montez les blancs en neige souple à l'aide d'un batteur électrique. Ajoutez progressivement le sucre en battant jusqu'à ce que le mélange soit brillant. Ajoutez la Maïzena aux blancs d'œufs en la tamisant puis incorporez le vinaigre. Avec le mélange, formez des tas de pâte ronds de 18 cm de diamètre sur une plaque à pâtisserie tapissée de papier sulfurisé. Enfournez la meringue, en réduisant la température à 120 °C, et faites-la cuire pendant 1 heure. Éteignez le four, en laissant la meringue refroidir à l'intérieur. Pour servir, garnissez la meringue de crème fouettée et de fruits frais, puis dégustez aussitôt. Pour 6 à 8 personnes.

crème glacée à la fraise

pavlova

crumble à la rhubarbe et à la vanille   puddings individuels à la banane

poires pochées au vin rouge

crumble à la rhubarbe et à la vanille

850 g de rhubarbe, parée et coupée en morceaux
165 g de sucre demerara
1 gousse de vanille fendue et les graines que vous aurez raclées
miettes du crumble
150 g de farine ordinaire
75 g de sucre
100 g de beurre

Préchauffez le four à 180 °C. Mélangez la rhubarbe, le sucre, la gousse de vanille et les graines puis placez-les dans un plat allant au four d'une capacité de 1,5 litre. Pour les miettes, mélangez la farine, le sucre et le beurre. Recouvrez les fruits de ce mélange. Enfournez 50 minutes. Pour 4 personnes.

puddings individuels à la banane

20 g de beurre
175 g de sucre roux
60 ml d'eau
2 bananes coupées en tranches fines
75 g d'amandes en poudre
75 g de farine ordinaire
150 g de sucre glace
¼ de c. à c. de levure chimique
3 blancs d'œufs
1 c. à c. d'extrait de vanille
75 g de beurre supplémentaire, fondu

Mettez le beurre, le sucre et l'eau dans une petite casserole à feu doux et remuez jusqu'à ce que le sucre soit dissous. Portez à ébullition et faites cuire 3 à 4 minutes. Réservez. Placez les rondelles de banane dans 4 ramequins beurrés de 250 ml allant au four. Versez la moitié de la sauce sur les bananes et placez les ramequins sur une plaque allant au four. Réservez. Préchauffez le four à 180 °C. Dans un saladier, mélangez les amandes en poudre, la farine, le sucre glace et la levure. Ajoutez les blancs d'œufs, la vanille et le beurre supplémentaire et mélangez bien. Versez la préparation sur les bananes et enfournez 20 minutes. Démoulez les puddings sur des assiettes et servez avec le reste de la sauce. Pour 4 personnes.

poires pochées au vin rouge

500 ml de vin rouge
500 ml d'eau
165 g de sucre
1 bâton de cannelle
1 clou de girofle
2 morceaux d'écorce d'orange de 5 cm
6 poires de type abatte ou conférence épluchées

Placez le vin, l'eau, le sucre, la cannelle, le clou de girofle et l'écorce d'orange dans une casserole. Faites chauffer à feu moyen-doux en remuant jusqu'à ce que le sucre soit dissous. Faites cuire 5 minutes, ajoutez les poires et couvrez. Laissez mijoter 30 minutes en remuant les poires de temps en temps. Retirez du feu. Servez les poires avec un peu du sirop de pochage. Pour 6 personnes.

crème brûlée aux fruits de la passion

1 litre de crème liquide
2 gousses de vanille fendues dont vous aurez raclé les graines
8 jaunes d'œufs
110 g de sucre en poudre
165 g de sucre en poudre supplémentaire
la pulpe de 1 fruit de la passion

Préchauffez le four à 160 °C. Mettez la crème, les gousses de vanille et les graines dans une casserole à feu doux et faites cuire doucement jusqu'à frémissement. Ôtez du feu et retirez les gousses. Fouettez les jaunes d'œufs et le sucre jusqu'à ce que le mélange épaississe et blanchisse. Versez la crème chaude sur les œufs et fouettez. Reversez la préparation dans la casserole et remuez à feu doux pendant 6 à 8 minutes jusqu'à ce que la crème nappe le dos d'une cuillère. Versez la crème dans 8 ramequins de 125 ml allant au four et placez-les dans un plat profond. Ajoutez de l'eau bouillante jusqu'à mi-hauteur des ramequins. Faites cuire 25 minutes jusqu'à ce que la préparation soit juste prise. Laissez 3 heures au réfrigérateur jusqu'à ce que la crème prenne bien. Mélangez le sucre supplémentaire et la pulpe de fruit de la passion. Recouvrez-en les crèmes et caramélisez le sucre au chalumeau ou avec une cuillère chauffée (voir glossaire). Pour 8 personnes.

crème brûlée aux fruits de la passion

gelée de framboises au vin rosé

185 ml de vin rosé
185 ml d'eau
75 g de sucre en poudre
2 c. à c. de gélatine en poudre
125 g de framboises
crème à la vanille
125 ml de crème liquide
2 c. à s. de sucre en poudre
½ gousse de vanille fendue dont vous aurez raclé les graines

Versez le vin, 125 ml d'eau et le sucre dans une petite casserole placée sur feu moyen et portez à ébullition. Retirez du feu. Dans un saladier, mélangez le reste de l'eau et la gélatine. Versez la gélatine et l'eau dans la casserole contenant le vin et remuez jusqu'à ce que le mélange soit homogène. Placez les framboises dans deux verres de 250 ml. Versez par-dessus suffisamment de préparation au vin pour recouvrir les framboises et mettez au réfrigérateur jusqu'à ce que la gélatine ait pris. Répartissez le reste de la préparation au vin entre les verres et gardez au frais jusqu'à ce que la gélatine soit prise. Pour la crème à la vanille, versez la crème, le sucre et les graines de vanille dans un saladier et fouettez jusqu'à épaississement. Pour servir, recouvrez la gelée de la crème battue à la vanille. Pour 2 personnes.

soufflé aux fruits de la passion

150 g de sucre en poudre
2 c. à s. d'eau
2 c. à c. de Maïzena
100 ml de pulpe de fruits de la passion
5 blancs d'œufs
1 ½ c. à s. de sucre en poudre supplémentaire
50 g de beurre fondu
sucre en poudre supplémentaire, pour saupoudrer

Préchauffez le four à 180 °C. Placez le sucre et l'eau dans une petite casserole sur feu doux. Remuez jusqu'à ce que le sucre soit dissous, en prenant soin d'éliminer tout grain de sucre des bords de la casserole. Mélangez la Maïzena et la pulpe des fruits de la passion dans un bol ou un petit saladier jusqu'à ce que la Maïzena soit totalement incorporée, puis ajoutez cette préparation au sirop. Montez le feu et portez à ébullition en remuant jusqu'à ce que le mélange ait un peu épaissi. Retirez du feu et laissez refroidir légèrement. Dans un saladier, montez les blancs en neige à l'aide d'un batteur électrique. Ajoutez petit à petit le sucre supplémentaire et battez en neige ferme. Incorporez le sirop aux fruits de la passion. Beurrez 4 ramequins à bord droit de 375 ml de contenance et saupoudrez-les de sucre. Remplissez-les de préparation aux trois quarts. Enfournez 12 minutes ou jusqu'à ce que le soufflé ait monté et doré. Pour 4 personnes.

gelée de framboises au vin rosé

soufflé aux fruits de la passion

tartes + tourtes

Un petit sondage réalisé auprès des proches de donna hay révèle que nos préférences culinaires ont toujours un rapport avec la pâtisserie. Et lorsque cette dernière est mariée aux meilleurs fruits de la saison, tout le monde en réclame davantage. Cerise sur le gâteau, accompagnez le tout d'une boule de glace ou d'une délicieuse cuillerée de crème ou de mascarpone, pour que le bonheur soit à son comble.

tourte rustique aux pêches et aux prunes

tarte Tatin à l'ananas

tartes individuelles à la rhubarbe

tourte rustique aux pêches et aux prunes

1 pâte brisée sucrée (recette page 90)
30 g d'amandes en poudre
4 pêches bien mûres, dénoyautées et coupées en quartiers
4 prunes à chair rouge, dénoyautées et coupées en quartiers
1 c. à s. de sucre

Préchauffez le four à 180 °C. Abaissez la pâte sur un plan de travail fariné pour obtenir un cercle imparfait de 3 mm d'épaisseur. Posez l'abaisse sur une plaque à pâtisserie tapissée de papier sulfurisé. Saupoudrez la pâte d'amandes en poudre, en laissant un bord de 5 cm. Posez les quartiers de pêche et de prune sur la poudre d'amandes, puis saupoudrez-les de sucre. Repliez les bords de la pâte sur les fruits, sans les recouvrir entièrement. Laissez reposer la tourte 10 minutes au réfrigérateur. Enfournez et laissez cuire 45 minutes. Servez chaud, accompagné de crème fraîche épaisse ou de glace. Pour 6 à 8 personnes.

tarte Tatin à l'ananas

375 g de pâte feuilletée du commerce
60 g de beurre
220 g de sucre en poudre
60 ml d'eau
1 petit ananas, épluché et coupé en tranches

Préchauffez le four à 200 °C. Faites chauffer une poêle antiadhésive sur feu moyen, puis faites fondre le beurre. Versez le sucre et l'eau, et laissez cuire en remuant pendant 2 minutes jusqu'à ce que le sucre soit dissous. Ajoutez l'ananas et faites cuire 3 minutes. Disposez une tranche d'ananas avec un peu de sirop au fond de 6 moules à tartelette de 9 cm de diamètre. Étalez la pâte sur un plan de travail légèrement fariné pour qu'elle fasse 3 mm d'épaisseur. Découpez 6 cercles de pâte de 9 cm de diamètre et recouvrez-en les ananas en rentrant les bords de la pâte dans le moule. Enfournez 18 à 20 minutes jusqu'à ce que la pâte soit gonflée et dorée. Pour servir, démoulez les tartes Tatin dans des assiettes. Pour 6 tartes individuelles.

tartes individuelles à la rhubarbe

200 g de pâte brisée étalée du commerce
200 g de rhubarbe parée, en tronçons de 12 cm
3 c. à s. de sucre roux
30 g de biscotti (ou de croquants aux amandes) en miettes
1 œuf légèrement battu

Préchauffez le four à 200 °C. Découpez 4 carrés de pâte de 12 cm de côté. Placez-les sur une plaque de cuisson recouverte de papier sulfurisé. Dans un saladier, mélangez la rhubarbe et le sucre. Versez les miettes de biscotti sur les carrés de pâte, puis recouvrez avec la rhubarbe. Badigeonnez d'œuf les bords de la pâte. Enfournez 15 minutes. Pour 4 personnes.

tarte aux framboises écrasées

375 g de pâte feuilletée du commerce
1 blanc d'œuf légèrement battu
1 c. à s. de sucre en poudre
250 g de framboises
1 c. à s. de sucre glace tamisé
garniture à la crème aigre
250 g de crème aigre
60 ml de crème légère
60 g de sucre roux

Préchauffez le four à 200 °C. Étalez la pâte sur un plan de travail fariné sur une épaisseur de 3 mm, et taillez un carré de 20 cm de côté. Découpez 8 bandes de 1 x 20 cm avec la pâte restante. Placez le carré de pâte sur une plaque de cuisson recouverte de papier sulfurisé. Badigeonnez de blanc d'œuf et disposez la moitié des bandes tout autour de la pâte pour former un rebord. Badigeonnez ces rebords de blanc d'œuf et disposez les bandes restantes par-dessus de façon à rehausser la bordure. Piquez le fond à la fourchette. Couvrez et mettez au réfrigérateur 30 minutes. Saupoudrez la pâte de sucre en poudre. Enfournez-la 20 minutes. Faites la garniture à la crème aigre : fouettez les deux crèmes et le sucre roux dans un saladier. Mélangez la moitié des framboises avec le sucre glace et écrasez légèrement. Incorporez le reste des framboises. Recouvrez la pâte de crème aigre et disposez les framboises. Pour 6 personnes.

tarte aux framboises écrasées

tarte au citron

tarte Tatin aux coings

gâteaux poires cannelle

tarte au citron

1 pâte brisée sucrée (recette page 90)
185 ml de jus de citron
165 g de sucre en poudre
185 ml de crème liquide
3 œufs légèrement battus

Préchauffez le four à 180 °C. Abaissez la pâte à 3 mm d'épaisseur
sur un plan de travail fariné, puis garnissez-en un moule à tarte à fond
amovible de 22 cm de diamètre. Couvrez la pâte de papier sulfurisé
et lestez-la avec des haricots secs. Faites cuire à blanc 10 minutes,
puis retirez les poids et prolongez la cuisson de 10 minutes. Réduisez
la température du four à 140 °C. Mettez le jus de citron et le sucre
dans un saladier résistant à la chaleur. Posez-le dans une casserole
remplie d'eau frémissante et remuez jusqu'à dissolution du sucre.
Ajoutez la crème et les œufs et remuez 5 minutes. Versez le mélange
dans le fond de tarte, en le passant à l'étamine. Faites cuire la tarte
au four 20 à 25 minutes environ. Pour 8 personnes.

tarte Tatin aux coings

3 coings pelés et épépinés
500 ml d'eau
220 g de sucre
4 morceaux de zestes de citron
80 g de beurre coupé en quatre
375 g de pâte feuilletée du commerce

Faites chauffer une grande poêle sur feu moyen. Mettez-y les coings,
l'eau, le sucre et le zeste de citron, couvrez et laissez mijoter 45 minutes
à couvert puis 10 minutes à découvert pour réduire le sirop. Retirez le
zeste de citron et répartissez les coings et leur jus de cuisson dans des
petites poêles de 4 x 14 cm. Mettez une petite noix de beurre dessus.
Vous pouvez aussi utiliser une grande poêle de 25 cm.
    Préchauffez le four à 200 °C. Étalez la pâte sur un plan de travail
fariné sur 3 mm d'épaisseur. Coupez-la en quatre et recouvrez-en
chaque petite poêle. Découpez les contours. Faites cuire 15 à
20 minutes, ou 35 minutes si vous utilisez une poêle plus grande,
ou jusqu'à ce que la pâte soit dorée. Pour servir, retournez les tartes
sur des assiettes de service. Pour 4 personnes.

gâteaux poires cannelle

4 poires fermes, épluchées, avec les queues
220 g de sucre
2 bâtons de cannelle
1 litre d'eau
garniture aux amandes
165 g de sucre en poudre
40 g de beurre ramolli
½ c. à c. d'extrait de vanille
185 ml de crème liquide
2 œufs, blancs et jaunes séparés
110 g d'amandes en poudre
40 g de farine à levure incorporée, tamisée

Dans une casserole, laissez mijoter les poires, le sucre, la cannelle
et l'eau à couvert, à feu doux 15 à 20 minutes. Laissez refroidir.
Préchauffez le four à 180 °C.
    Pour la garniture aux amandes : fouettez au batteur électrique
le sucre, le beurre, la vanille, la crème, les jaunes d'œufs, les amandes
en poudre et la farine. Dans un saladier, montez les blancs en neige
au batteur électrique, puis incorporez-les dans le mélange aux amandes.
Versez dans 4 ramequins de 375 ml allant au four. Ajoutez une poire
dans chacun d'eux et enfournez 30 minutes. Pour 4 personnes.

tarte à la mangue et aux amandes

2 x 200 g de pâte feuilletée du commerce
1 œuf légèrement battu
30 g de poudre d'amandes
60 g de sucre roux
3 mangues épluchées, joues retirées et coupées en deux

Préchauffez le four à 200 °C. Badigeonnez d'œuf le bord de l'une
des pâtes. Disposez l'autre pâte en la chevauchant sur la première,
et joignez les bords pour former un rectangle. Placez ce dernier sur une
plaque allant au four recouverte de papier sulfurisé. Découpez 1 cm de
pâte sur tout le tour du rectangle, et disposez-la tout autour en formant
un rebord. Saupoudrez de poudre d'amandes et de 1 cuillerée à soupe
de sucre roux. Recouvrez de mangues et saupoudrez le reste du sucre
roux. Enfournez 30 minutes. Pour 12 personnes.

tarte à la mangue et aux amandes

tartes aux prunes et au mascarpone

6 prunes coupées en deux et dénoyautées

55 g de sucre en poudre

2 pâtes feuilletées du commerce

1 jaune d'œuf légèrement battu

sirop au cognac

250 ml d'eau

2 c. à s. de cognac

220 g de sucre en poudre

garniture mascarpone vanille

250 g de mascarpone

2 c. à s. de sucre glace

1 gousse de vanille fendue dont vous aurez raclé les graines

Faites chauffer une poêle antiadhésive à feu moyen. Saupoudrez les prunes de sucre et faites-les cuire, faces coupées dessous, 1 à 2 minutes, ou jusqu'à ce que le sucre soit fondu et doré. Réservez.

Préparez le sirop au cognac : versez l'eau, le cognac et le sucre dans une petite casserole à feu vif, et portez à ébullition. Réduisez à feu moyen et laissez mijoter 12 à 15 minutes jusqu'à épaississement. Réservez et laissez refroidir.

Préparez la garniture : dans un saladier, fouettez le mascarpone, le sucre glace et les graines de vanille. Réservez.

Préchauffez le four à 200 °C. Découpez 4 carrés de pâte de 12 cm de côté dans l'une des pâtes, et placez-les sur une plaque recouverte de papier sulfurisé. Badigeonnez d'œuf. Découpez 16 bandes de 1 cm de largeur dans la seconde pâte. Disposez les bandes tout autour des carrés de pâtes pour former un rebord, égalisez les bords et badigeonnez du reste d'œuf. Enfournez 10 à 12 minutes jusqu'à ce que la pâte ait gonflé et doré. Versez la garniture à la vanille sur la tarte et recouvrez avec les prunes. Servez accompagné du sirop au cognac. Pour 4 personnes.

tarte Tatin

60 g de beurre

175 g de sucre en poudre

2 c. à s. d'eau

4 pommes pelées, vidées et coupées en quartiers

375 g de pâte feuilletée du commerce

Préchauffez le four à 200 °C. Faites fondre le beurre dans une poêle munie d'un manche allant au four de 18 cm de diamètre, à feu moyen. Ajoutez le sucre et l'eau, remuez 2 minutes environ jusqu'à dissolution du sucre. Prolongez la cuisson de 5 minutes environ jusqu'à ce que le mélange soit sirupeux et légèrement doré. Ajoutez les pommes et faites-les cuire dans la poêle pendant 5 minutes. Attendez que les bulles disparaissent puis placez les quartiers de pommes en cercle, la partie vidée vers le haut. Abaissez la pâte à 3 mm d'épaisseur sur un plan de travail fariné. Découpez un disque de pâte de 24 cm de diamètre et couvrez-le de pommes, en rentrant bien la pâte dans la poêle. Faites cuire au four 18 à 20 minutes environ jusqu'à ce que la pâte soit gonflée et dorée. Pour servir, retournez la tarte sur un plat et coupez-la en parts. Pour 4 à 6 personnes.

tartes aux prunes et au mascarpone   tarte Tatin

tarte à l'orange sanguine

tartes aux figues et mascarpone

tourte aux pommes

tarte à l'orange sanguine

1 mesure de pâte brisée sucrée (recette page 90)
garniture à l'orange sanguine
110 g de sucre en poudre
185 ml de jus d'orange sanguine filtré
60 ml de jus de citron
4 œufs
1 jaune d'œuf
250 ml de crème légère
1 c. à s. de zeste d'orange sanguine finement râpé

Préchauffez le four à 180 °C. Étalez la pâte sur 3 mm d'épaisseur, puis foncez un moule à tarte de 22 cm de diamètre. Découpez le surplus de pâte puis réfrigérez 10 minutes. Recouvrez la pâte de papier sulfurisé et remplissez le moule de billes de cuisson. Passez au four 10 à 12 minutes, retirez les billes, puis enfournez de nouveau pour 10 minutes. Réservez. Réduisez la température du four à 140 °C.

Pour la garniture, placez le sucre, le jus d'orange et de citron dans un récipient résistant à la chaleur que vous disposerez au-dessus d'une casserole d'eau frémissante. Mélangez jusqu'à ce que le sucre soit dissous. Ajoutez les œufs, le jaune d'œuf, la crème et le zeste d'orange, remuez 5 minutes et versez sur la pâte. Faites cuire au four 30 minutes. Laissez refroidir puis placez au réfrigérateur. Décorez de rondelles d'orange et de sirop (voir page 16). Pour 8 à 10 personnes.

tartes aux figues et mascarpone

200 g de pâte feuilletée au beurre du commerce
2 c. à s. de sucre en poudre
4 figues coupées en quartiers
2 c. à c. de sucre roux
25 g de beurre en morceaux
250 g de mascarpone
2 c. à s. de sucre roux pour décorer

Préchauffez le four à 200 °C. Découpez la pâte en quatre rectangles et disposez-les sur une plaque de cuisson recouverte de papier sulfurisé. Saupoudrez de sucre en poudre et recouvrez avec les figues. Parsemez de sucre roux et de beurre. Passez 15 minutes au four. Servez avec le mascarpone saupoudré du sucre roux restant. Pour 4 personnes.

tourte aux pommes

1 mesure de pâte brisée sucrée (recette page 90)
2 c. à s. de poudre d'amandes
1 œuf légèrement battu
du sucre pour saupoudrer
garniture à la pomme
8 pommes vertes, pelées et coupées en morceaux
1 c. à s. d'eau
75 g de sucre
1 c. à s. de jus de citron
½ c. à c. de cannelle moulue

Préchauffez le four à 190 °C. Pour la garniture, laissez mijoter les pommes et l'eau dans une grande poêle sur feu moyen à couvert, 5 minutes. Égouttez et laissez refroidir complètement. Ajoutez le sucre, le jus de citron et la cannelle. Étalez les deux tiers de la pâte sur 3 mm d'épaisseur puis foncez une moule à tarte de 24 cm de diamètre. Saupoudrez de poudre d'amandes et tassez les pommes sur la pâte. Refermez la tourte avec la pâte restante. Avec un pinceau, passez de l'eau sur le couvercle, scellez les bords et découpez la pâte qui dépasse. Pratiquez des incisions sur le couvercle, dorez-le à l'œuf et saupoudrez de sucre. Faites cuire 30 minutes au four. Pour 8 personnes.

chaussons à la rhubarbe et au cassis

400 g de rhubarbe parée et coupée en morceaux
125 g de cassis
220 g de sucre en poudre
2 c. à s. de Maïzena
4 feuilles de pâte brisée du commerce
1 œuf légèrement battu
1 c. à s. de sucre en poudre pour décorer

Préchauffez le four à 200 °C. Mélangez la rhubarbe, le cassis, le sucre et la Maïzena dans un saladier. Avec un emporte-pièce de 19 cm de diamètre, découpez un cercle dans chaque feuille de pâte. Répartissez le mélange à la rhubarbe sur chacun des cercles et rabattez les bords de pâte vers le centre de façon à former un chausson ouvert. Badigeonnez d'œuf et saupoudrez de sucre. Faites cuire 15 à 20 minutes. Pour 4 personnes.

chaussons à la rhubarbe et au cassis

chaussons aux abricots

375 g de pâte feuilletée du commerce
825 g d'oreillons d'abricots en boîte
du lait pour sceller la pâte
du sucre pour saupoudrer

Préchauffez le four à 200 °C. Abaissez la pâte sur une épaisseur
de 3 cm et découpez 4 disques de 11 cm de diamètre. Posez-les
sur une plaque de cuisson tapissée de papier sulfurisé. Garnissez
d'oreillons d'abricots en ne couvrant que la moitié de chaque disque.
Saupoudrez de sucre. Badigeonnez de lait les bords de la pâte.
Repliez la pâte et fermez en piquant les bords. Badigeonnez de lait,
saupoudrez de sucre et faites cuire 25 minutes. Pour 4 chaussons.

tartes poires amandes

1 mesure de pâte brisée sucrée (recette page 90)
poires pochées
750 ml d'eau
330 g de sucre
3 poires de type abatte ou conférence, pelées, coupées
en deux et épépinées, avec les queues intactes
garniture à l'amande
75 g de beurre
110 g de sucre en poudre
1 œuf
150 g de poudre d'amandes
2 c. à s. de farine ordinaire
1 ½ c. à s. de cognac

Préchauffez le four à 180 °C. Étalez la pâte entre des feuilles de papier
sulfurisé sur 3 mm d'épaisseur, et foncez un moule à tarte de 22 cm
de diamètre à bords hauts légèrement beurrés. Égalisez les bords,
recouvrez la pâte de papier sulfurisé et remplissez-la de billes de
cuisson. Passez 10 à 15 minutes au four, retirez les billes et le
papier, puis enfournez de nouveau pour 10 minutes. Laissez refroidir.

Pour faire pocher les poires, versez l'eau et le sucre dans une
casserole sur feu moyen à doux. Remuez jusqu'à ce que le sucre soit
dissous, puis laissez frémir 5 minutes. Plongez les poires et laissez
frémir 15 minutes jusqu'à ce qu'elles soient tendres. Retirez-les
de la casserole et laissez refroidir sur du papier absorbant.

Pour la garniture aux amandes, battez le beurre et le sucre
au fouet électrique. Toujours en battant, ajoutez les œufs puis la poudre
d'amandes, la farine et le cognac. Répartissez la garniture sur la pâte.
Tranchez les poires en veillant à garder les queues intactes, et disposez-
les par-dessus la garniture. Faites cuire la tarte au four 50 minutes.
Servez à température ambiante. Pour 6 personnes.

chaussons aux abricots

tartes poires amandes

gâteaux + desserts au four

Cuits au four, les fruits libèrent leur jus sucré et exhalent
tous leurs arômes. Préparez-vous à une avalanche de
sensations avec cette sélection de gâteaux, de muffins
et bien d'autres douceurs tout juste sorties du four.
Le petit plus : une fois la préparation terminée, c'est
le four qui fait le reste du travail. Ce qui vous laisse tout
le loisir de vous reposer ou d'apprécier la compagnie
de votre famille et de vos amis.

gâteau au citron et fruits de la passion

gâteau tout simple pêches passion

brioche et fruits rouges

gâteau au citron et fruits de la passion

125 g de beurre ramolli

220 g de sucre en poudre

2 œufs

250 g de crème aigre

600 ml de jus de citron

1 c. à s. de zestes de citron finement râpés

300 g de farine à levure incorporée

½ c. à c. de levure chimique

sirop aux fruits de la passion

165 ml de pulpe de fruits de la passion

150 g de sucre en poudre

250 ml d'eau

Préchauffez le four à 180 °C. Fouettez le beurre et le sucre au batteur électrique jusqu'à ce que le mélange soit mousseux. Ajoutez les œufs et mélangez bien. Incorporez la crème aigre, le jus de citron, le zeste, la farine et la levure. Versez le mélange dans un moule à manqué de 23 cm de diamètre recouvert de papier sulfurisé. Passez 40 minutes au four. Laissez refroidir dans le moule 5 minutes puis démoulez sur une grille.

Pour le sirop, faites chauffer la pulpe de fruits de la passion, le sucre et l'eau dans une casserole, à feu doux, en mélangeant jusqu'à ce que le sucre soit dissous, puis portez à ébullition 4 à 5 minutes jusqu'à ce que le sirop épaississe légèrement. Versez la moitié du sirop chaud sur le gâteau encore tiède. Réservez le gâteau 5 minutes puis servez avec le reste du sirop. Pour 8 à 10 personnes.

gâteau tout simple pêches passion

250 ml de crème légère

1 c. à c. de sucre glace

1 c. à c. d'extrait de vanille

4 biscuits à la cuillère, ou génoise

2 pêches dénoyautées et coupées en tranches

60 ml de pulpe de fruits de la passion

Battez la crème, le sucre et la vanille dans un saladier. Disposez les biscuits à la cuillère sur des assiettes de service et surmontez-les de mélange à la crème, de tranches de pêche et de la pulpe de fruits de la passion. Pour 4 personnes.

brioche et fruits rouges

1 noix de beurre pour le moule

1 c. à s. de sucre

1 brioche coupée en tranches épaisses

500 g de fraises coupées en deux

150 g de myrtilles

80 ml de muscat

3 c. à s. de sucre supplémentaires

Préchauffez le four à 180 °C. Beurrez un moule rectangulaire de 23 x 18 cm et saupoudrez-le de sucre. Garnissez le fond de tranches de brioche. Dans un récipient de taille moyenne, mélangez les fraises, les myrtilles, le muscat et le sucre. Répartissez les fruits rouges sur la brioche et passez la préparation au four 35 minutes. Pour 8 personnes.

gâteau à l'orange et au pavot

250 g de beurre ramolli

220 g de sucre en poudre

3 œufs

30 g de graines de pavot

1 c. à s. de zestes d'orange finement râpés

125 ml de lait

300 g de farine à levure incorporée, tamisée

sirop à l'orange

220 g de sucre en poudre

250 ml de jus d'orange fraîchement pressée

les zestes de 2 oranges

Préchauffez le four à 160 °C. Fouettez le beurre et le sucre au batteur électrique. Ajoutez les œufs un à un et amalgamez bien. Incorporez les graines de pavot, le zeste d'orange, le lait et la farine puis mélangez. Transvasez la préparation dans un moule carré de 22 cm de côté recouvert de papier sulfurisé. Enfournez pour 55 minutes.

Pour le sirop à l'orange, mettez le sucre, le jus d'orange et le zeste dans une petite casserole sur feu doux et mélangez jusqu'à ce que le sucre soit dissous. Montez ensuite le feu et portez à ébullition pendant 7 à 8 minutes jusqu'à ce que le sirop épaississe. Pour servir, versez le sirop sur le gâteau. Pour 10 personnes.

gâteau à l'orange et au pavot

pommes au four vanille noix de coco

couronne à la banane

clafoutis aux prunes et au chocolat

pommes au four vanille noix de coco

6 pommes rouges

40 g de noix de coco en morceaux

1 c. à s. de farine ordinaire

60 g de beurre ramolli

3 c. à s. de sucre demerara

1 gousse de vanille coupée en six tronçons

Préchauffez le four à 180 °C. Ôtez les trognons des pommes en évidant une partie de la chair, et pratiquez une incision à mi-hauteur. Dans un bol, mélangez la noix de coco, la farine, le beurre et le sucre. Répartissez ce mélange à l'intérieur des pommes et plantez-y un morceau de la gousse de vanille. Disposez les pommes dans un plat allant au four, remettez les chapeaux et faites cuire 40 minutes. Pour 6 personnes.

couronne à la banane

125 g de beurre ramolli

225 g de sucre en poudre

45 g de sucre roux

3 œufs

300 g de farine

2 c. à c. de levure chimique

1 c. à c. de cannelle en poudre

190 g de crème aigre

240 g de banane grossièrement écrasée

sauce caramel

130 g de sucre roux

250 ml de crème liquide

Préchauffez le four à 180 °C. Travaillez le beurre, les deux sucres au batteur électrique. Ajoutez les œufs, un par un. Ajoutez la farine, la levure, la cannelle, la crème aigre et la banane puis mélangez. Versez la pâte dans un moule à savarin cannelé beurré de 26 cm de diamètre. Faites cuire le gâteau au four 40 minutes. Laissez-le refroidir sur une grille puis nappez-le de sauce caramel. Pour 8 à 10 personnes.

Pour la sauce caramel, faites chauffer le sucre et la crème dans une casserole à feu moyen. Remuez jusqu'à dissolution du sucre, puis laissez frémir à feu vif 8 minutes jusqu'à ce que la sauce épaississe.

clafoutis aux prunes et au chocolat

50 g de farine ordinaire tamisée

30 g de poudre de cacao tamisée

75 g de sucre en poudre tamisé

1 c. à c. d'extrait de vanille

3 œufs

250 ml de crème liquide

150 g de chocolat noir grossièrement haché

20 g de beurre doux ramolli

8 grosses prunes, coupées en deux et dénoyautées

Préchauffez le four à 180 °C. Mettez la farine, le cacao et le sucre dans un récipient. Dans un autre récipient, versez la vanille, les œufs et la crème et mélangez bien. Versez le mélange aux œufs dans le récipient contenant la farine et fouettez pour amalgamer le tout. Incorporez le chocolat. Enduisez de beurre fondu un plat à four d'une capacité de 1 litre. Versez-y la préparation et disposez sur le dessus les moitiés de prunes. Enfournez pour 20 à 25 minutes. Pour 8 personnes.

gâteau à l'orange et aux écorces confites

2 oranges entières, lavées

175 g de beurre

330 g de sucre en poudre

3 œufs

90 g de poudre d'amandes

225 g de farine ordinaire

2 c. à c. de levure chimique

écorces confites et sirop (recette page 16) pour servir

Préchauffez le four à 160 °C. Mettez les oranges dans une casserole d'eau sur feu moyen. Portez l'eau à ébullition, puis réduisez le feu et laissez frémir 30 minutes. Retirez les oranges de la casserole, laissez-les refroidir. Hachez-les grossièrement, puis mixez-les dans un robot. Ajoutez le beurre, le sucre, les œufs, la poudre d'amandes, la farine et la levure puis mixez de nouveau. Transvasez la préparation dans un moule à kouglof de 24 cm de diamètre, beurré et fariné. Enfournez pour 1 heure. Laissez le gâteau refroidir dans son moule pendant 10 minutes puis démoulez-le et laissez-le refroidir sur une grille. Servez accompagné des écorces confites et du sirop. Pour 8 à 10 personnes.

gâteau à l'orange et aux écorces confites

cheesecakes et sauce aux framboises

sauce aux framboises
200 g de framboises fraîches ou surgelées
220 g de sucre
pâte
55 g de biscuits sucrés nature
40 g d'amandes en poudre
30 g de beurre fondu
garniture
600 g de fromage frais ramolli
190 g de crème aigre
2 œufs
220 g de sucre en poudre
1 c. à c. d'extrait de vanille

Préchauffez le four à 200 °C. Pour faire la sauce, placez les framboises dans un plat allant au four et saupoudrez de sucre. Enfournez 15 minutes jusqu'à ce que le mélange prenne un aspect sirupeux. Réservez.

Pour la pâte, dans un mixeur, hachez finement les biscuits. Ajoutez les amandes en poudre et le beurre, et mixez pour bien mélanger. Beurrez 6 moules à muffins antiadhésifs de 185 ml. Tapissez chaque moule de deux bandes croisées de papier sulfurisé. Tassez la préparation à base de miettes au fond des moules et placez au réfrigérateur. Préchauffez le four à 140 °C.

Préparez la garniture. Dans un mixeur, mélangez le fromage frais, la crème aigre, les œufs, le sucre et la vanille. Versez ce mélange dans les moules et faites cuire 30 minutes au four. Faites refroidir au réfrigérateur et servez accompagné de sauce aux framboises. Pour 6 personnes.

gâteau au citron vert et à la mangue

4 œufs
220 g de sucre
150 g de farine à levure incorporée
150 g de beurre fondu
75 g de copeaux de noix de coco
1 c. à c. d'écorce de citron vert finement râpée
nappage au citron vert et à la mangue
110 g de sucre
185 ml d'eau
1 c. à c. de jus de citron vert
1 gousse de vanille fendue dont vous aurez raclé les graines
3 mangues coupées en tranches fines

Préparez le nappage. Dans une poêle profonde, faites chauffer à feu doux le sucre, l'eau, le jus de citron vert, la gousse de vanille et ses graines. Remuez jusqu'à ce que le sucre soit dissous, puis laissez mijoter 3 à 4 minutes. Ajoutez la mangue et faites cuire 6 à 7 minutes, ou jusqu'à ce que le mélange prenne un aspect sirupeux. Retirez la mangue à l'aide d'une écumoire, réservez le sirop, et disposez les tranches de fruits au fond d'un moule à gâteau de 22 cm de diamètre légèrement beurré.

Préchauffez le four à 160 °C. Battez les œufs et le sucre au mixeur pendant 8 minutes jusqu'à ce que le mélange ait triplé de volume. Tamisez la farine sur cette préparation et incorporez-la. Ajoutez le beurre, la noix de coco et l'écorce de citron vert. Versez cette préparation sur les mangues. Enfournez 45 minutes. Laissez reposer 10 minutes avant de démouler. Servez accompagné du sirop réchauffé après avoir retiré la gousse de vanille. Pour 8 personnes.

cheesecakes et sauce aux framboises   gâteau au citron vert et à la mangue

muffins à la myrtille

gâteau brioché pomme cannelle

palets d'été à la nectarine

muffins à la myrtille

300 g de farine à levure incorporée

110 g de sucre en poudre

2 œufs

80 ml d'huile végétale

250 g de crème aigre

250 g de myrtilles fraîches ou surgelées

Préchauffez le four à 180 °C. Mélangez la farine, le sucre, les œufs, l'huile et la crème aigre dans un récipient de taille moyenne et mélangez bien. Ajoutez les myrtilles à la pâte et mélangez. Répartissez la préparation aux myrtilles dans des moules à muffins légèrement beurrés d'une contenance de 250 ml. Enfournez pour 20 à 25 minutes ou jusqu'à ce que les muffins soient bien cuits. Pour 6 muffins.

gâteau brioché pomme cannelle

185 g de beurre ramolli

½ c. à c. de cannelle en poudre

150 g de sucre en poudre

3 œufs

225 g de farine

½ c. à c. de levure chimique

80 ml de lait

garniture

4 petites pommes vertes, pelées, coupées en deux et évidées

1 c. à c. de sucre

¼ de c. à c. de cannelle en poudre

6 cl de confiture d'abricots tiède

Préchauffez le four à 160 °C. Travaillez le beurre, la cannelle et le sucre au batteur électrique. Ajoutez les œufs un par un, la farine, la levure, le lait et mélangez. Chemisez le fond d'un moule à charnière de 22 cm de diamètre avec du papier sulfurisé et versez-y la pâte.

Incisez le dessus des demi-pommes en pratiquant une rangée d'entailles profondes, puis disposez les fruits sur la pâte à gâteau. Mélangez le sucre et la cannelle pour en saupoudrer les pommes. Faites cuire le gâteau 50 minutes. Badigeonnez-le de confiture tiède puis prolongez la cuisson de 10 minutes. Servez-le tiède. Pour 8 à 10 personnes.

palets d'été à la nectarine

3 blancs d'œufs

110 g d'amandes en poudre

75 g de sucre glace tamisé

40 g de farine à levure incorporée

50 g de beurre fondu

1 c. à s. d'écorce de citron finement râpée

1 grosse nectarine coupée en deux et finement tranchée

Préchauffez le four à 180 °C. Dans un saladier, mélangez les blancs d'œufs, les amandes en poudre, le sucre, la farine, le beurre et l'écorce de citron vert. Versez 1 cuillerée à soupe de cette préparation dans 12 moules à petits-fours de 60 ml légèrement beurrés, et recouvrez d'une tranche de nectarine. Enfournez 15 minutes jusqu'à ce que les palets soient gonflés et dorés. Pour 12 palets.

grand gâteau à l'abricot

9 blancs d'œufs

330 g d'amandes en poudre

225 g de sucre glace

225 g de farine à levure incorporée

150 g de beurre doux fondu

3 c. à s. d'écorce d'orange finement râpée

1 kg d'abricots coupés en deux et dénoyautés

110 g de sucre blanc

Préchauffez le four à 180 °C. Dans un saladier, mélangez bien les blancs d'œufs, les amandes en poudre, le sucre glace, la farine, le beurre et l'écorce d'orange. Placez les abricots et le sucre dans un saladier et remuez pour que le sucre enrobe les fruits. Versez la préparation à base de blancs d'œufs dans un plat allant au four de 25 x 35 cm, et recouvrez avec les abricots. Enfournez 40 à 45 minutes, ou jusqu'à ce que les fruits soient cuits lorsqu'on les pique de la pointe d'un couteau. Pour 12 personnes.

grand gâteau à l'abricot

cheesecake marbré aux myrtilles

220 g de myrtilles fraîches ou surgelées+
55 g de sucre en poudre
fond
85 g de biscuits sablés
55 g d'amandes en poudre
45 g de beurre fondu
garniture
600 g de fromage blanc épais ramolli
190 g de crème aigre
2 œufs
220 g de sucre en poudre
1 c. à c. d'extrait de vanille

Préchauffez le four à 140 °C. Mixez les myrtilles au robot puis passez-les au tamis pour obtenir 125 ml de purée. Faites chauffer la purée et le sucre dans une casserole, à feu moyen, et remuez jusqu'à dissolution du sucre. Laissez frémir 8 minutes jusqu'à ce que le mélange ait épaissi. Laissez refroidir.

Réduisez les sablés en miettes au robot. Ajoutez les amandes en poudre et le beurre, et travaillez-les jusqu'à ce que la pâte soit homogène. Beurrez un moule à charnière de 22 cm de diamètre et tapissez le fond de papier sulfurisé. Garnissez-en le fond avec le mélange à base de biscuits et aplatissez-le. Réservez-le au réfrigérateur.

Pour la garniture, travaillez le fromage blanc au robot. Ajoutez la crème aigre, les œufs, le sucre et la vanille, et travaillez-les jusqu'à obtention d'une pâte lisse. Versez la garniture sur le fond. Nappez le tout avec la préparation aux myrtilles puis passez-y un couteau à beurre pour obtenir l'effet marbré. Faites cuire 1 heure jusqu'à ce que la garniture soit figée. Réservez au réfrigérateur et servez froid. Pour 10 à 12 personnes.

+ Si vous utilisez des myrtilles surgelées, il n'est pas nécessaire de les faire décongeler avant l'utilisation.

pain à la banane et aux dattes

125 g de beurre doux ramolli
175 g de sucre roux
2 œufs
125 g de farine ordinaire tamisée
1 c. à c. de levure chimique tamisée
½ c. à c. de bicarbonate de soude
¼ de c. à c. de noix de muscade moulue
¼ de c. à c. de cannelle moulue
3 ou 4 bananes écrasées
60 ml de sirop d'érable
200 g de dattes hachées

Préchauffez le four à 160 °C. Dans un saladier, fouettez le beurre et le sucre au batteur électrique jusqu'à ce que le mélange soit pâle et crémeux. Incorporez les œufs un par un et fouettez bien. Versez la farine, la levure, le bicarbonate de soude, la muscade et la cannelle et mélangez bien. Ajoutez les bananes, le sirop d'érable et les dattes. Versez la préparation dans un moule à cake de 7 x 32 cm légèrement beurré et recouvert de papier sulfurisé. Enfournez pour 1 h 10. Laissez refroidir le pain à la banane dans son moule et coupez-le en tranches pour servir. Pour 6 à 8 personnes.

cheesecake marbré aux myrtilles

pain à la banane et aux dattes

glossaire + index

babeurre

À l'origine, c'est le liquide résiduel que l'on obtient après le barattage du beurre. Le babeurre est un lait à faible teneur en matières grasses auquel est ajouté de l'acide lactique, ce qui donne un liquide acidulé utilisé en pâtisserie pour confectionner des gâteaux, des crêpes, des crèmes ainsi que comme attendrisseur.

bassine à confiture

Pour préparer vos confitures, utilisez une poêle à bord haut pour éviter les éclaboussures lors de la cuisson. Les bassines à confiture traditionnelles possèdent une base large de façon que la confiture arrive plus vite à ébullition, ce qui accélère le processus d'évaporation et préserve la saveur des fruits. À défaut de bassine à confiture, utilisez une poêle profonde à fond épais. Assurez-vous que la chaleur se diffuse uniformément dans la poêle de façon à réduire le risque que la confiture brûle et attache à la poêle.

beurre

Sauf indication contraire dans la recette, le beurre doit être utilisé à température ambiante pour être cuisiné. Sans être presque fondu ou bien trop ramolli pour être manipulé, il doit tout de même être souple lorsqu'on le presse. En pâtisserie, pour être utilisé, le beurre doit être froid et découpé en petits morceaux de façon à être réparti uniformément dans la farine. Bien que la plupart des personnes utilisent du beurre doux plutôt que du beurre salé, c'est une question de préférence personnelle et les résultats sont aussi bons dans les deux cas. Le beurre salé se conserve plus longtemps, c'est pourquoi certaines personnes le préfèrent.

Conservez votre beurre dans le réfrigérateur, à l'abri des aliments ayant une odeur qu'elle soit douce ou forte, car le beurre s'en imprègne facilement.

caraméliser du sucre

la méthode de la cuillère

Placez le dos d'une cuillère sur la flamme du gaz jusqu'à ce qu'elle soit très chaude. À l'aide d'un torchon épais, saisissez le manche puis posez la cuillère sur la couche de sucre à caraméliser. La caramélisation sera instantanée, et le sucre se transformera en caramel dur. Après cette opération, votre cuillère sera irrémédiablement noircie.

la méthode du chalumeau

Allumez le chalumeau et dirigez avec précaution la flamme à 2 cm de la couche de sucre et brûlez-le 1 minute jusqu'à ce que le sucre commence à faire des bulles et à caraméliser.

citronnelle

C'est une herbe haute au parfum de citron utilisée dans la cuisine asiatique. Retirez les feuilles extérieures avant de hacher ou d'émincer le tendre cœur. On la trouve dans les épiceries asiatiques, ainsi que dans certains supermarchés et épiceries fines.

crème

C'est sa contenance en matières grasses qui détermine son nom et son utilisation idéale. Toutes les crèmes peuvent être épaisses ou liquides (on parle également de crème fleurette pour la crème liquide).

crème légère

Sa teneur en matières grasses est comprise entre 12 et 30 %, en général 15 %.

Ce type de crème est couramment utilisé pour préparer des crèmes glacées, de la panna cotta, ou d'autres crèmes desserts. Elle peut être fouettée en chantilly.

crème fraîche

La crème fraîche ne doit pas être confondue avec la crème, ou crème entière (ci-dessous). La dénomination crème fraîche indique que la crème a été pasteurisée, et non pas stérilisée. La crème fraîche liquide est idéale pour être montée en chantilly, tandis que la crème fraîche épaisse est une crème légère ayant été ensemencée avec des ferments lactiques, ce qui la rend onctueuse et acidulée.

crème ou crème entière

Cette crème a une teneur en matières grasses supérieure à 30 %. Elle est souvent servie en accompagnement de gâteaux et de desserts.

crème aigre

Appréciée en Europe de l'Est, en Russie et dans les pays anglo-saxons, elle est peu disponible en France. On peut la remplacer en utilisant de la crème fraîche épaisse additionnée d'un filet de jus de citron.

extrait de vanille

Pour un goût de vanille pure, utilisez un extrait de vanille de bonne qualité, et non pas de l'essence de vanille ou de l'arôme synthétique. Vous pouvez également utiliser une gousse de vanille.

gélatine

Cet ingrédient, destiné à gélifier ou à faire prendre une préparation, obtenu à partir du collagène (une protéine présente dans les cartilages et les os des animaux), est vendu soit en feuilles, soit en poudre. La gélatine en poudre est disponible dans les supermarchés et doit être dissoute dans un liquide au bain-marie avant d'être ajoutée à la préparation. La gélatine en feuilles est également disponible dans certains supermarchés et dans les épiceries spécialisées. On la trouve en différentes concentrations ; par conséquent, lisez bien les instructions qui figurent au dos de l'emballage pour savoir combien de feuilles sont nécessaires pour faire prendre un volume de liquide donné. Les feuilles de gélatine doivent être ramollies dans de l'eau froide pendant 5 minutes, puis être égouttées avant d'être ajoutées à la préparation. L'agar-agar est un substitut à la gélatine d'origine végétale.

génoise

100 g de farine ordinaire
1/4 de c. à c. de levure chimique
4 œufs
110 g de sucre en poudre
50 g de beurre fondu

Préchauffez le four à 180 °C. Tamisez la farine et la levure trois fois. Réservez. Dans un récipient, mettez les œufs et le sucre et fouettez-les au batteur électrique pendant 8 à 10 minutes jusqu'à ce que le mélange épaississe, pâlisse et ait triplé de volume. Tamisez la farine au-dessus des œufs battus avec le sucre et incorporez-la délicatement en utilisant une cuillère en métal. Incorporez ensuite le beurre fondu. Beurrez un moule rectangulaire de 20 cm de côté et recouvrez le fond de papier sulfurisé. Versez le mélange dans le moule et enfournez pour 25 minutes ou jusqu'à ce que le gâteau soit moelleux et que les bords se détachent du moule. Démoulez puis laissez refroidir sur une grille. Pour 8 à 10 personnes.

gousse de vanille

La gousse de vanille est le fruit séché de la vanille, que l'on utilise entière, généralement fendue en deux dans la longueur en prenant soin de gratter les petites graines pour qu'elles parfument la préparation. On l'utilise pour parfumer la crème anglaise et les préparations à base de crème. À défaut, utilisez 1 cuillerée à café d'extrait de vanille pure pour une gousse de vanille (l'extrait de vanille est un liquide épais et collant, à ne pas confondre avec l'essence de vanille).

mascarpone

Le mascarpone est un fromage italien très doux à forte teneur en matières grasses. Sa consistance évoque de la crème fraîche très épaisse, et on l'utilise tout comme la crème dans des gâteaux, desserts et sauces. Il est disponible dans les supermarchés, les boutiques spécialisées et chez de nombreux traiteurs italiens.

méthode au batteur électrique pour faire prendre une glace

Si vous ne possédez pas de sorbetière ni de turbine à glace, vous pouvez utiliser la méthode suivante pour faire prendre votre glace dans le congélateur. Versez la préparation refroidie dans un récipient en métal et placez celui-ci au congélateur pour 2 h 30 jusqu'à ce que la préparation commence à prendre sur les bords mais soit encore liquide au milieu. Fouettez au batteur électrique pour obtenir un mélange homogène, puis replacez la crème glacée dans le congélateur pendant 3 à 4 heures jusqu'à ce qu'elle soit ferme. Renouvelez l'opération une fois.

moules

Les moules en aluminium conviennent parfaitement, mais des moules en inox dureront plus longtemps et ne se déformeront pas. Pour connaître la largeur d'un moule, mesurez-le à l'ouverture et non à la base. Si le moule possède un rebord, prenez la mesure à l'intérieur de celui-ci.

moules en couronne

Ces moules existent en version lisse ou cannelée. Quel que soit votre choix, veillez à toujours bien beurrer le moule. Pour démouler un gâteau, décollez les bords à la spatule et effectuez une légère torsion du moule.

moules à tarte à bords cannelés

Il en existe de toutes les tailles : du moule individuel jusqu'au moule de grande taille. Les bords peuvent être hauts ou non, et le moule peut posséder ou non un fond amovible. Les tailles les plus courantes sont de 10, 20 ou 24 cm de diamètre. Choisissez un moule à fond amovible pour démouler plus facilement les préparations à la pâte délicate, particulièrement lorsque vous utilisez un grand moule.

moules à muffins

Les moules à muffins se présentent généralement sous forme de plaques comportant 12 empreintes, chacune d'entre elles ayant une contenance de 125 ml, ou de 6 empreintes d'une contenance de 250 ml. Ils sont parfaits pour réaliser des gâteaux individuels et des muffins. Les moules antiadhésifs facilitent le démoulage. À défaut, vous pouvez placer des caissettes en papier dans vos moules à muffins.

moules à petits-fours

Il existe des moules à petits-fours de toutes les formes, mais généralement leur contenance est de 2 cuillerées à soupe. Il existe également des moules à petits-fours peu profonds qui sont parfaits pour confectionner des tartelettes. Beurrez soigneusement les moules avant utilisation ou bien utilisez-les avec des caissettes en papier de façon à faciliter le démoulage.

moules à manqué

Les tailles standard des moules à manqué sont 18, 20, 22 et 24 cm. Ceux de 20 et de 24 cm sont les plus pratiques.

moules rectangulaires

Généralement, les moules rectangulaires sont de 20 x 30 cm. Ces moules sont tout indiqués pour les clafoutis, génoises, grands gâteaux de fête ou encore les gâteaux roulés.

moules à fond amovible

Les tailles les plus courantes sont de 20, 23 et 24 cm de diamètre. Ces moules sont très pratiques pour les gâteaux délicats tels que les cheesecakes, les gâteaux à la crème et les gâteaux fourrés. Le mécanisme situé sur le bord du moule permet de le retirer et donc de démouler le gâteau sans avoir à le retourner.

moules carrés

La taille standard des moules carrés est de 18, 20, 22 et 24 cm de côté. Si votre recette est prévue pour un moule rond mais que vous préférez utiliser un moule carré, la règle générale à suivre est de retirer 2 cm à la taille du moule indiqué. Ainsi, pour une recette indiquant un moule rond de 22 cm, vous utiliserez un moule carré de 20 cm de côté.

cercle à pâtisserie

Ces cercles de métal s'utilisent posés sur une plaque de cuisson recouverte de papier sulfurisé. Ils sont très utiles pour cuire des tartes à bord haut, et les démouler facilement. Vous n'avez qu'à retirer le cercle à la fin de la cuisson. Ils sont disponibles dans les boutiques spécialisées.

muscat

Le muscat est un vin doux à l'arôme gorgé de soleil, car le raisin est vendangé bien après sa maturité. La saveur intense de fruits caramélisés de ce vin est renforcée par un ajout d'alcool et un vieillissement en fûts de chêne.

œufs

La taille moyenne des œufs utilisés dans ce livre est de 59 g. Il est très important d'utiliser des œufs de la bonne taille pour préparer une recette, car cela a une influence sur le résultat obtenu. Il est particulièrement important d'utiliser le bon volume lorsque l'on manipule des blancs d'œufs pour préparer des meringues. Il est recommandé d'utiliser les œufs à température ambiante pensez donc à les sortir du réfrigérateur environ 30 minutes avant de commencer à cuisiner.

panna cotta

2 c. à s. de gélatine en poudre
80 ml d'eau
935 ml de crème légère
150 g de sucre glace
1 c. à c. d'extrait de vanille
Faites gonfler la gélatine dans l'eau pendant 5 minutes. Mettez la crème, le sucre glace et la vanille dans une casserole sur feu moyen et mélangez.

Versez la gélatine dissoute dans l'eau et laissez frissonner sur feu doux pendant 4 minutes ou jusqu'à ce que la gélatine soit bien dissoute dans le mélange. Laissez refroidir à température ambiante puis répartissez dans des moules et mettez au frais pendant au moins 6 heures ou toute la nuit. Pour servir, plongez les moules dans de l'eau chaude puis renversez les panna cotta sur des assiettes.

pâte

Vous pouvez la préparer vous-même, ou, si le temps vous manque, vous pouvez utiliser l'une des nombreuses variétés de pâte fraîche ou surgelée que l'on trouve dans le commerce.

pâte feuilletée

Très longue et difficile à préparer. Vous en trouverez dans les pâtisseries (commandez-en une portion à l'avance), mais vous pouvez également utiliser les pâtes feuilletées surgelées disponibles en supermarché.

pâte brisée sucrée

300 g de farine ordinaire
3 c. à s. de sucre en poudre
150 g de beurre froid coupé
en morceaux
2 à 3 c. à s. d'eau glacée
À l'aide d'un robot, mélangez la farine, le sucre et le beurre jusqu'à ce que la pâte ait un aspect granuleux. Toujours en mélangeant, ajoutez de l'eau glacée jusqu'à ce que la pâte soit homogène et continuez de mixer jusqu'à ce qu'elle soit bien mélangée. Pétrissez légèrement la pâte, enveloppez-la dans du film alimentaire et placez-la 30 minutes au

réfrigérateur. Étalez ensuite la pâte sur un plan de travail légèrement fariné ou entre deux feuilles de papier sulfurisé jusqu'à ce qu'elle fasse 2 à 3 mm d'épaisseur, ou tout autre épaisseur désirée, puis foncez-en votre moule à tarte. (Cette recette permet de préparer environ 350 g de pâte, ce qui est suffisant pour foncer un plat à tarte de 26 cm de diamètre.) Préchauffez le four à 180 °C. Recouvrez la pâte de papier sulfurisé et remplissez le fond de billes de cuisson ou bien de riz ou de haricots secs. Enfournez pour 10 minutes, puis retirez les billes et placez à nouveau au four 10 minutes de plus ou jusqu'à ce que la pâte soit dorée. Versez la garniture sur la pâte puis replacez au four pour la durée indiquée dans la recette.

poudre d'amandes

Également appelée amandes moulues, la poudre d'amandes est disponible dans la plupart des supermarchés. On l'utilise en remplacement ou en complément de la farine dans les gâteaux et les desserts. Vous pouvez faire votre propre poudre d'amandes en passant au robot, muni d'une grille fine, des amandes mondées entières (125 g d'amandes entières vous donneront une tasse de poudre d'amandes). Pour monder facilement les amandes, plongez-les rapidement dans de l'eau bouillante, puis retirer la peau avec les doigts.

sirop de sucre et caramel

Lors de la préparation d'un sirop au sucre ou d'un caramel à partir de sucre et d'eau, il est important de bien mélanger afin de dissoudre le sucre avant que le liquide commence à bouillir. Au cours de la cuisson, passez un pinceau trempé dans l'eau sur les bords intérieurs de la casserole de façon à ôter d'éventuels cristaux de sucre qui s'y seraient formés. Cela vous aidera à obtenir un sirop clair qui ne cristallise pas.

stériliser les bocaux à confiture

Avant de remplir vos bocaux à confiture, il est très important de stériliser à la fois les bocaux et les couvercles. Mieux vaut utiliser de véritables bocaux et couvercles à confiture, disponibles dans les magasins spécialisés et certains grands magasins. Assurez-vous que vos bocaux ne soient ni fêlés ni ébréchés. Pour stériliser les bocaux et les couvercles, lavez-les tout d'abord à l'eau chaude et au savon puis rincez-les. Retournez les bocaux et les couvercles sur une plaque de cuisson recouverte d'un chiffon propre et placez-les dans un four préchauffé à 100 °C pour 15 minutes ou jusqu'à ce qu'ils soient bien secs. Pour éviter que les pots ne se brisent, versez la confiture chaude dans les bocaux pendant que ceux-ci sont encore chauds. Refermez avec les couvercles.

sucre

Se présentant sous forme de cristaux extraits du jus de la canne à sucre ou de la betterave à sucre, le sucre est un édulcorant, un exhausteur de goût et un conservateur.

sucre roux

C'est un sucre blanc auquel on a ajouté de la mélasse. Le sucre roux peut être plus ou moins brun, selon la quantité de mélasse ajoutée, ce qui varie selon les pays. Cette concentration en mélasse a une influence sur le goût du sucre, et donc sur le goût de la pâtisserie préparée. Le sucre roux utilisé dans ce livre est parfois appelé sucre blond. Pour un goût plus prononcé vous pouvez remplacer le sucre roux par de la cassonade.

sucre en poudre

La finesse de ses grains donne aux pâtisseries une texture légère et fine, ce qui est important pour la préparation de nombreux gâteaux et desserts légers, tels que les meringues, pour lesquelles le sucre doit être complètement dissous.

sucre demerara

C'est un sucre de canne cristallisé à la saveur douce de caramel. Il est bien adapté à la cuisson. On le trouve dans les épiceries fines et dans certains supermarchés. À défaut de sucre demerara, vous pouvez utiliser 3 volumes de sucre blanc mélangés à 1 volume de sucre roux.

sucre glace

Le sucre glace est un sucre blanc classique moulu en poudre très fine. Il forme souvent de gros grumeaux et doit donc être finement tamisé avant utilisation. Utilisez toujours du sucre glace pur et non une préparation au sucre glace, qui contient également de la farine de maïs et demande à être mélangée à plus de liquide lors de son utilisation.

sucre cristal

Le sucre cristal est utilisé en cuisine lorsque la légèreté n'est pas primordiale dans la texture que l'on recherche. Du fait de la relative grosseur des cristaux, vous devrez fouetter, ajouter du liquide ou bien chauffer le sucre cristal pour le dissoudre.

a

abricots
  chaussons aux abricots 66
  grand gâteau à l'abricot 82
amandes
  gâteau tout simple pêches passion 72
  tarte à la mangue et aux amandes 58
  tartes poires amandes 66
ananas, Tatin à l'ananas 54

b

bananes
  beignets de bananes au sirop
    d'érable 22
  couronne à la banane 76
  pain à la banane et aux dattes 84
  pancakes aux myrtilles
    et à la banane 22
  puddings individuels à la banane 46
beignets de bananes au sirop d'érable 22
brioche et fruits rouges 72

c

cannelle
  gâteau brioché pomme cannelle 82
  gâteaux poires cannelle 58
caraméliser du sucre 88
cassis, chaussons à la rhubarbe
  et au cassis 64
chaussons à la rhubarbe et au cassis 64
chaussons aux abricots 66
cheesecake marbré aux myrtilles 84
cheesecakes et sauce aux framboises 78
citron
  gâteau au citron et fruits
    de la passion 72
  soufflé 36
  tarte 58
citron vert, gâteau au citron vert
  et à la mangue 78
clafoutis aux prunes et au chocolat 76
coings, Tatin aux coings 58
confitures

fraises 28
  rhubarbe à la vanille 30
  pêche passion 30
  oranges sanguines 28
  stériliser les bocaux 91
crème brûlée aux fruits de la passion 46
crumble à la rhubarbe et à la vanille 46

d

dattes, pain à la banane et aux dattes 84

f

figues
  fruits rouges et figues
    au sirop de vanille 36
  tartes aux figues et mascarpone 64
fraises
  confiture de fraises 28
  crème glacée à la fraise 42
framboises
  gelée au vin rosé 48
  semifreddo 40
  sorbet 40
  tarte 54
fruits d'été pochés 36
fruits de la passion
  confiture pêche passion 30
  soufflé 48
fruits rouges
  brioche et fruits rouges 72
  fruits rouges et figues au sirop
    de vanille 36
  petit déjeuner aux baies mélangées 22

g

galettes aux fruits 40
garnitures
  à la crème aigre 54
  crème à la framboise 36
  crème à la vanille 48
  mascarpone vanille 60
gâteaux individuels
  cheesecakes et sauce aux framboises 78

palets d'été à la nectarine 82
  pêches passion 72
gelée de framboises au vin rosé 48
génoise 89
glaces
  crème glacée à la fraise 42
  glace (préparation) 89
  semifreddo à la framboise 40
grands gâteaux
  à l'abricot 82
  à l'orange et au pavot 72
  à l'orange et aux écorces confites 76
  au citron et fruits de la passion 72
  au citron vert et à la mangue 78
  cheesecake marbré aux myrtilles 84
  couronne à la banane 76
  génoise 89
  pêches passion 72
  pomme cannelle 82
granola à la nectarine 26

m

mangue
  gâteau au citron vert et à la mangue 78
  tarte à la mangue et aux amandes 58
marmelade d'oranges sanguines 28
mascarpone, tartes aux prunes 60
meringue, pavlova 42
muesli bircher 26
muffins
  à la myrtille 82
  spécial petit déjeuner 26
myrtilles
  cheesecake marbré 84
  muffins 82
  pancakes aux myrtilles
    et à la banane 22

n

nectarines
  granola à la nectarine 26
  pain grillé à la nectarine 26
  palets d'été à la nectarine 82

noix de coco
  gâteau au citron vert et à la mangue 78
  pommes au four vanille noix de coco 76

O

orange
  gâteau à l'orange et au pavot 72
  gâteau à l'orange et aux écorces
    confites 76
  marmelade d'oranges sanguines 28
  sirop à l'orange 16
  tarte à l'orange sanguine 64

p

pain à la banane et aux dattes 84
pain grillé à la nectarine 26
palets d'été à la nectarine 82
pancakes aux myrtilles et à la banane 22
panna cotta 90
  vanillée à la pêche 40
pâte brisée sucrée 90
pavlova 42
pêches
  confiture pêche passion 30
  éplucher des pêches 17
  gâteau tout simple pêches passion 72
  panna cotta vanillée à la pêche 40
  tourte rustique aux pêches
    et aux prunes 54
peler les fruits 17
petit déjeuner aux baies mélangées 22
poires
  gâteaux poires cannelle 58
  poires pochées au vin rouge 46
  tartes poires amandes 66
pommes
  gâteau brioché pomme cannelle 82
  pommes au four vanille noix de coco 76
  tarte Tatin 60
  tourte aux pommes 64
prunes
  clafoutis aux prunes et au chocolat 76
  confiture de rhubarbe à la vanille 30

tartes aux prunes et au mascarpone 60
tourte rustique aux pêches
  et aux prunes 54
puddings individuels à la banane 46

r

rhubarbe
  chaussons à la rhubarbe
    et au cassis 64
  crumble à la rhubarbe et à la vanille 46
  tartes individuelles à la rhubarbe 54

s

salade de fruits citronnelle yaourt 22
pistaches 40
sauces et sirops
  sauce caramel 76
  sauce aux framboises 78
  sirop à l'orange 72
  sirop au cognac 60
  sirop aux fruits de la passion 72
semifreddo à la framboise 40
sorbet aux fruits 40
soufflé
  au citron 36
  aux fruits de la passion 48
stériliser les bocaux à confiture 91

t

tartes
  à l'orange sanguine 64
  à la mangue et aux amandes 58
  au citron 58
  aux framboises écrasées 54
  aux prunes et au mascarpone 60
  poires amandes 66
  Tatin 60
  Tatin à l'ananas 54
  Tatin aux coings 58
tartes individuelles
  à la rhubarbe 54
  aux figues et mascarpone 64
  poires cannelle 58

tourtes
  aux pommes 64
  rustique aux pêches et aux prunes 54
trifle aux fruits d'été 36

v

vanille
  confiture de rhubarbe à la vanille 30
  crumble à la rhubarbe et à la vanille 46
  panna cotta vanillée à la pêche 40
  pommes au four vanille noix de coco 76

notes

À l'âge de huit ans, Donna Hay découvre le monde fascinant de la cuisine – une passion qui ne s'est jamais démentie. Jeune diplômée en économie domestique, elle entreprend alors une carrière de rédactrice culinaire et impose rapidement sa signature personnelle : des recettes simples, raffinées et de saison mises en valeur par une photographie et un stylisme soignés. Une cuisine qui s'adresse à tous – du cuisinier débutant au cuisinier chevronné – avec des recettes conçues aussi bien pour une cuisine quotidienne que pour les grandes occasions. Un style qui l'a rendue célèbre dans le monde entier et qu'elle transmet au travers de ses nombreux livres de cuisine et de son magazine *donna hay magazine*. Journaliste de presse, elle a également créé une ligne d'aliments et de vaisselle.